Prólogo, ato, epílogo

Fernanda
Montenegro
com a colaboração de Marta Góes

Prólogo, ato, epílogo

memórias

Companhia Das Letras

Grafia atualizada segundo o Acordo Ortográfico da Língua Portuguesa de 1990, que entrou em vigor no Brasil em 2009.

Capa
Alceu Chiesorin Nunes

Foto de capa e quarta capa
© Bob Wolfenson

Projeto gráfico e cadernos de fotos
Claudia Espínola de Carvalho

Preparação
Márcia Copola

Checagem
Érico Melo

Índice remissivo
Luciano Marchiori

Revisão
Ana Maria Barbosa
Jane Pessoa
Clara Diament

Dados Internacionais de Catalogação na Publicação (CIP)
(Câmara Brasileira do Livro, SP, Brasil)

Montenegro, Fernanda
Prólogo, ato, epílogo : memórias / Fernanda Montenegro ; com a colaboração de Marta Góes. — 1ª ed. — São Paulo : Companhia das Letras, 2019.

ISBN 978-85-359-3255-3

1. Atrizes — Brasil — Autobiografia 2. Montenegro, Fernanda, 1929- I. Góes, Marta. II. Título.

19-28408 CDD-792.028092

Índice para catálogo sistemático:
1. Atrizes brasileiras : Autobiografia 792.028092

Cibele Maria Dias — Bibliotecária — CRB-8/9427

10ª reimpressão

EDITORA SCHWARCZ S.A.
Rua Bandeira Paulista, 702, cj. 32
04532-002 — São Paulo — SP
Telefone: (11) 3707-3500
www.companhiadasletras.com.br
www.blogdacompanhia.com.br
facebook.com/companhiadasletras
instagram.com/companhiadasletras
twitter.com/cialetras

Aos meus netos, por ordem de chegada:
Joaquim, Davi, Antônio

Sumário

Entre julho de 2016 e novembro de 2017, Marta Góes realizou dezoito entrevistas com Fernanda Montenegro. A partir do material recolhido e transcrito por Marta, Fernanda escreveu *Prólogo, ato, epílogo*, entre novembro de 2017 e agosto de 2019.

Prólogo

Para meus filhos, que cresceram na Zona Sul do Rio de Janeiro, nos anos 1960 e 1970, a saga de nossos antepassados pode parecer um folhetim. Ou uma tragédia. Para mim é uma realidade brutal de sobrevivência. Descendo de gente quase medieval, ligada à agricultura e ao pastoreio. Junto deles eu cresci. A família de meu pai era de lavradores portugueses e a de minha mãe, de pastores sardos. Apenas uma geração me separa deles.

Os Pinna e Piras, a família de minha avó materna, vieram da Itália, de uma aldeia do centro da Sardenha: Bonarcado; os Nieddu, de meu avô materno, eram de Teulada, uma ponta de terra da ilha que avança pelo Mediterrâneo. Chegaram todos ao Brasil no mesmo navio, em 1897. Faziam parte de um grupo de oitocentos imigrantes italianos, a maioria de origem sarda, contratados para trabalhar nas fazendas de café em Minas Gerais em substituição à mão escrava. Por um documento assinado pelo presidente do Brasil, Prudente de Morais, e pelo rei da Itália, Umberto I, filho de Vítor Emanuel — o primeiro monarca da Itália unida —, comprometiam-se a permanecer aqui pelo tempo mínimo de dois anos. A partir daí receberiam uma licença para retornar caso quisessem.

O Brasil precisava de lavradores. Não fazia dez anos que a escravidão fora abolida. A Sardenha e todo o sul da Itália ainda eram paupérrimos naquele final do século XIX. A expectativa de que a unificação do país resolveria essa pobreza não se cumprira, mesmo — no culto dos sardos — tendo à frente o herói Garibaldi. Minha avó considerava Garibaldi mais salvador da pátria do que são Jorge ou quaisquer outros santos guerreiros. Juntos.

A desesperança social provocou uma grande diáspora dos italianos para toda a América do Sul, para a Austrália e Estados Unidos. Se o país no continente não ia bem, que dirá a Sardenha, a Sicília, as ilhas... Então correu por lá a notícia de que no Brasil chovia ouro. Era só cavoucar a terra para encontrar esmeraldas, diamantes. Bastariam dois anos para enriquecer — era essa a propaganda. Diante de tamanho apelo, meus bisavôs, Francisco e Antíoco, chegaram à conclusão de que deveriam vir para cá, com as respectivas famílias. Hipotecaram, aos parentes, a casa, os animais, o pouco que possuíam. Afinal, logo estariam de volta, ricos.

O mais velho dos filhos de meu bisavô Francisco, o de Bonarcado, tio José, cuidava com o pai do rebanho de ovelhas e cabras; a mais velha, tia Vicenza, era o braço direito da mãe nas tarefas domésticas; e todos os seis filhos — José, João, Vicenza, Ângelo, Maria Francisca e Cristina — trabalhavam desde cedo, como era comum naquela cultura, visando providenciar sua sobrevivência debaixo do próprio teto. O costume local era os meninos juntarem o suficiente para erguer esse teto quando fosse a hora de casar e as meninas se encarregarem de tudo que ia debaixo dele. As lembranças da Sardenha de meus avós parecem saídas do livro de Gavino Ledda, tema do filme *Pai patrão*, dos irmãos Taviani. Contava-se na família que, num inverno terrível, em que chegou a nevar, tio José voltava do pastoreio para casa com meu bisavô e resolveram cortar caminho pelas terras de um grande senhor. Os vigias da propriedade os barraram, ordenando-lhes que não transitassem por ali. Os dois tentaram argumentar que tinham pressa — a noite estava caindo e precisavam se abrigar do frio —, mas os capangas foram irredutíveis. A discussão degenerou numa briga. Meu tio esmurrou um dos vigias e foi detido. Levado para Cagliari, a capital da ilha, passou três meses na prisão. Quando regressou à pequena Bonarcado, foi recebido como herói por sua coragem. E, maior glória, na cadeia tio José aprendera a ler. Quando penso na história desse tio, faz o maior sentido para mim que Gramsci seja sardo. Gramsci passou nove anos aprisionado, e, na solidão de sua cela, inventou um comunismo europeu, fora do mundo soviético. Um comunismo mais real e humano.

Minha avó tinha dezesseis anos quando a família deixou aquela terra. Viajaram primeiro para o porto de Gênova, onde embarcaram. Minha bisavó se chamava Rosa, mas, dadas a desimportância social e a desumanidade dessa imigração oficial, na administração de Juiz de Fora foi registrada como Joana. Estava grávida. O navio era uma embarcação absolutamente precária. Parava em alto-mar para reparos a cada dois ou três dias. Jogava tanto que em várias ocasiões eles achavam que iam afundar — o medo não era exagerado. Na viagem de volta o navio foi a pique.

A travessia do Atlântico levou 35 dias. Os homens de um lado, as mulheres de outro. Nenhuma limpeza. Uma miséria louca. Chegaram cobertos de feridas, de piolhos, de sarna. Semimortos de cansaço e de doenças, os oitocentos imigrantes foram embarcados para Minas Gerais em trens de transporte e carga de gado, como aqueles que levaram prisioneiros para os campos de concentração, na Alemanha de Hitler. Jogados pelo chão, com suas trouxas, em vagões sem janelas, sufocados, foram parar num centro oficial de distribuição de imigração em Juiz de Fora.

Essa distribuição dos imigrantes para as fazendas se definia pelo nome do chefe da família. Uma das irmãs de vovó, tia Cristina, já era casada e tinha um filhinho. Seu sobrenome não era mais Pinna, e sim Ledda. Por isso, foi separada do seu grupo familiar. Os Pinna seguiram para uma fazenda e tia Cristina, com o marido e o filho, foram mandados para outra propriedade. Não há palavras para descrever o desespero, o pânico causado por essa separação. Estavam esgotados, famintos, apavorados. Não falavam a língua, estranhavam a comida — minha avó dizia que elas lavavam exaustivamente o feijão-preto, na tentativa de deixá-lo branco, que era o feijão que eles conheciam.

Ao ver a filha ser arrancada do grupo, minha bisavó caiu de cama e passou mais de um mês delirando, em depressão grave.

Foram acomodados em senzalas parcamente adaptadas e encarregados de plantar e colher café, que também não conheciam. O básico do que comiam era obrigatoriamente comprado na botica da própria fazenda, o que os endividava, já que o soldo que recebiam era insuficiente. Minha bisavó era parteira, e logo passou a atender imigrantes grávidas e as ex-escravas que permaneceram na fazenda, por não terem para onde ir. Para grande surpresa de minha bisavó, os bebês das ex-escravas nasciam brancos e, aos poucos, sua pele ia mudando.

Uma noite, ouviram batidas na janela e deram com a filha, o genro e o neném. Tinham os olhos inchados, fechados por uma forte conjuntivite — dor-d'olhos, como dizia minha avó. Um vigia que os viu entrar foi denunciar ao capataz que a família Pinna tinha posto gente estranha dentro de casa. Veio a ordem de botar para fora os recém-chegados. Não queriam encrenca com os proprietários — que voltassem para o lugar de onde haviam saído. Diante disso, os Pinna e os Ledda fizeram suas trouxas e, na madrugada, fugiram todos juntos. Fugiram para lugar nenhum. Andaram noites e dias ao longo da Estrada de Ferro Central do Brasil. Acampavam e dormiam onde desse. Comiam o que arrumavam pelo caminho. As ferrovias tinham (e ainda têm) barracões ou cabines onde um operador de trilhos determinava a bitola pela qual os vagões deviam seguir. Foi num desses barracões que, por gentileza de um modesto funcionário da ferrovia e assistida pela filha casada, minha bisavó deu à luz gêmeos. O menino se salvou, a menina morreu ao nascer. Assim que minha bisavó pôde andar, prosseguiram viagem — para lugar nenhum —, carregando o valente primeiro brasileiro da família, meu querido tio Luiz. Depois de uma sucessão de paradas e fugas, chegaram a Passagem de Mariana, onde, finalmente, um fazendeiro os acolheu. Àquela altura, ninguém mais sabia quem era aquele bando que andava por aquele interior como mendigos. Só permaneceram nessa propriedade por causa da generosa permissão dada ao lavrador para cultivar, em benefício próprio, um pequeno pedaço de terra. Puderam então fazer sua horta, criar seus poucos animais domésticos. E ali ficaram. Num tempo tão feroz, a benevolência daquele fazendeiro era raridade. Esse primeiro e mínimo ganho social acalmou os Pinna e os Ledda. Ali começaram a se reorganizar como seres humanos, respeitados na sua comunidade.

A riqueza prometida nunca aconteceu, e, diante da desgraça que foi a vida por aqui, como voltar? A quem recorrer? Os imigrantes foram abandonados à própria sorte — ainda mais os Pinna, que eram insubmissos. Mais tarde, um ou outro parente do lado Nieddu conseguiu retornar a Teulada, por conta própria, mas a maioria dos enviados pelo rei Umberto I em comunhão com o governo brasileiro, essa permaneceu aqui, espalhada por Minas Gerais e pelo interior do estado do Rio de Janeiro.

Quis então o acaso ou o destino que meus bisavós Nieddu fossem parar, eles também, numa outra fazenda, em Passagem de Mariana. Meu avô Pedro Nieddu e minha avó Maria Francisca Pinna se encontraram nas festas da roça, se enamoraram e casaram. Eles já tinham se olhado e muito, de longe, no navio que os trouxe da Itália.

No tempo devido, nasceu a primeira filha, Emília. Teve vida curta, apenas cinco anos, para paixão eterna de minha avó.

Aos Pinna, aos Nieddu e aos Ledda chegou a notícia de que os ingleses estavam extraindo ouro da mina de Morro Velho. Era a oportunidade de se libertar da lavoura.

Mais uma vez decidiram levantar acampamento e buscar

outra vida. A disposição para a aventura estava presente em muitas histórias da família, que eles gostavam de recordar, como a de tia Vicenza, a irmã mais velha de vovó. Anos antes, ainda todos na Itália, apareceram na aldeia deles freiras francesas, vindas do Norte da África, talvez com a missão de encontrar vocações religiosas. Assim que elas partiram, a família deu falta de tia Vicenza. Logo se descobriu que ela fugira com as visitantes. Lá foi meu pobre bisavô atrás da filha. Conseguiu alcançá-la, mas ela se recusou a voltar com o pai. Seguiu com as freiras para o Norte da África e um bom tempo depois dali para outro convento em Lyon, na França. Durante nove anos, preparou-se para a vida religiosa, porém, na hora de receber o hábito, achou que não era essa a vida que realmente queria. Deixou o dito convento e foi trabalhar como governanta por dois anos até conseguir juntar algum dinheiro. Só então pôde vir ao encontro dos parentes, em Minas Gerais. Tia Vicenza, aqui no Brasil, se tornaria uma figura importante na vida de minha avó. E de toda a família.

Em Minas, Vicenza casou-se com um português, alfaiate, mas o casamento foi um fracasso — o homem bebia muito e ela acabou por deixá-lo. Mais tarde, quando os parentes partiram de Morro Velho para o Rio de Janeiro, onde, mais uma vez, iriam tentar a sorte, ela veio com eles. Vicenza era uma bela mulher, educada num convento de prestígio. Ao chegar ao Rio, falando francês e italiano, empregou-se como camareira no Theatro Municipal, recém-inaugurado, e passou a atender os artistas das óperas e dos balés estrangeiros que aqui se apresentavam, com bastante frequência, naqueles anos. Como boa imigrante, juntou um dinheirinho e comprou uma casa modesta no subúrbio. O aluguel ajudava no orçamento. Mas, a certa altura, o inquilino parou de pagar. A proprietária era uma mulher modesta, e mulher modesta proprietária, até hoje, não se respeita. Jovem, bonita, sozinha, bateu-lhe a inquietação da solidão, da necessidade do respaldo de um homem. Publicou, então, um anúncio no jornal: "Senhora honesta gostaria de conhecer um senhor honesto com quem possa conviver". Ela contava que, na época, na França, esses anúncios eram comuns. E apareceu nosso tio, Pedro Mourelle, um espanhol, dono de uma excelente confeitaria no Russell. Esse homem ajudou a família generosamente. Todos os Pinna e os Ledda passaram a fazer empréstimos com ele. E pagavam. Tinha que haver crédito para futuras necessidades.

Tia Vicenza era religiosíssima. Mas vivia em "pecado" com um homem — sem a bênção da Igreja e sem o documento civil de um casamento. Confessava. Comungava. Como não tinha mais aflições de dinheiro, passou a frequentar a Santa Casa da Misericórdia, onde fazia caridade, ajudando os necessitados que lá eram atendidos. Uma maneira de aliviar seu sentimento de culpa diante de Deus. Extremamente curiosa, doentiamente curiosa, sempre visitava a morgue da instituição, onde rezava pelos cadáveres de indigentes ali abandonados. Certo dia, entre os corpos à espera de identificação, reconheceu o do português alfaiate, que ela deixara em Minas. Minha tia-avó e seu bom espanhol fizeram, então, o enterro cristão do ex-marido defunto, rezaram e se casaram. Eu me pergunto se ainda acontecem fatos como esse ou se o que eles viveram era um resquício existencial e social do século XIX. São histórias que não parecem reais e sim saídas de melodramas, de folhetins, de romances de um Alexandre Dumas, de um Victor Hugo.

Na história da nossa imigração, meus familiares não foram os únicos a passar por enormes provações. Mas, quase sempre, os descendentes escamoteiam essa dura parte da história de seus imigrantes. Parece que todos foram parar em São Paulo e logo ficaram ricos. Creio que há uma certa vergonha dessa realidade. Esse silêncio só se explica pela busca de status. Por que negar nossas origens? Com exceção dos índios, todos nós somos resultados de "cheganças". O que eu aprendi, crescendo junto aos meus imigrados, é que eles nos impregnaram, para sempre, da sua cultura: a crença na vida, o código familiar, o ritual das festas, os sabores de uma mesa mesmo modesta, as rezas, os lutos, a tragédia e a aleluia que é sobreviver. A crença na ressurreição de todos nós. Hoje entendo que os meus avós, tios-avós, bisavós, com quem convivi e muito, faziam da memória de sua cultura um ritual, uma herança. Eram irracionalmente decisivos nisso. Os fatos que narravam eram sempre de superação. A começar pela dimensão mística de suas lembranças. Quando minha avó falava da igreja da sua aldeia, eu tinha a impressão de que era a catedral de Notre-Dame! Essa grandeza mítica era a que ela queria que eu guardasse. Tive oportunidade, junto com Fernando e meus filhos, de visitar a aldeia deles. E o "monumento" que vovó me descrevia como uma basílica, na verdade é um templo singelo, despojado, erguido no ano 1100, deslumbrante no seu seco rigor arquitetônico. No arquivo do batistério, documentei a presença dos Pinna e Piras em Bonarcado desde 1818. Mas, agora, nestas minhas memórias, meus imigrantes estavam em Minas Gerais, mais precisamente na mina de ouro de Morro Velho.

Na empreitada da mineração, o que comandava era a tuberculose. Dependendo do período de permanência no local, morriam lá mesmo, ou anos mais tarde, dessa peste. Como aconteceu com meu avô Pedro Nieddu. O pó da mineração destruía os pulmões, e embora eles soubessem do risco mortal, o perigo ainda era menor que o de uma vida nos cafezais mineiros. Milagrosamente, a tuberculose não se fez presente em nenhum dos Pinna. E, tuberculosos ou não, os Nieddu, os Ledda e os Pinna conseguiram, não sei de que maneira, juntar um nada de dinheiro.

Correu então que no Rio de Janeiro precisavam de artesãos. O prefeito Pereira Passos havia iniciado, na primeira década do século XX, as obras de modernização da capital, apelidadas de o Bota-Abaixo. O grande projeto previa a derrubada do morro do Castelo, a construção da avenida Rio Branco (então denominada avenida Central), da Escola de Belas-Artes, da Biblioteca Nacional e, entre outras iniciativas arquitetônicas, do Theatro Municipal. O mercado de trabalho, para tão gigantesco empreendimento, necessitava de muita mão de obra. De artesãos. Na Sardenha, meu avô Pedro Nieddu fora estucador — sabia trabalhar com gesso. Mas, como tantos conterrâneos atraídos pela possibilidade de fazer fortuna no Brasil, passara-se por camponês a fim de ser aceito pelos contratadores. Junto com a família da mulher, ele deixou para trás o trabalho mortífero da mineração em Morro Velho e, em busca de uma oportunidade através de seu antigo ofício, mudou-se para o Rio de Janeiro. Mais do que ganhar o pão de cada dia, tratava-se de salvar a própria pele.

Ao chegarem ao Rio, com uma miséria de dinheiro, meus avós ouviram falar que havia terrenos baratos em Copacabana, mas era impossível plantar qualquer coisa naquele areal. Então, já com uma filha, Valentina, de apenas dois anos, eles procuraram a estrada de ferro, a Central do Brasil, pois, como se dizia no Velho Mundo, onde passasse o trem, viria o progresso.

Numa estação chamada Anchieta, no limite entre o Distrito Federal e o estado do Rio, conseguiram comprar sete lotes de terreno, cobertos de mata, onde ele finalmente construiu a sua moradia. Ali, minha avó passou por oito gestações, mas poucas delas chegaram a seu termo. Das crianças que nasceram, só sobreviveram duas meninas: tia Valentina e minha mãe, Carmen. O salário de meu avô, embora modestíssimo, vinha de seu contrato como estucador junto a uma frente de imigrantes operários formada para as obras de construção do Theatro Municipal. Ao pisar no grande palco do Municipal para receber meu primeiro prêmio Molière, em 1966, falei nele com profunda emoção: "Meu avô, Pedro Nieddu, estucador, é responsável por algumas volutas que enfeitam este teatro. Sua neta, hoje, está aqui, neste palco, recebendo este prêmio tão importante na cultura teatral de nosso país. A ele ofereço este momento tão bonito da minha vida".

Esse homem, já tuberculoso, ao voltar para casa à noite, depois de trabalhar o dia inteiro nas obras da prefeitura, preparava a massa dos adobes que, no dia seguinte, minha avó encaixotava nas pequenas fôrmas de madeira que punha para secar ao sol. Aos domingos, ele e mais um ou dois amigos levantavam as paredes. E assim foi construída a casa que, segundo minha mãe, era bastante boa. Junto com vovó, ele plantou árvores frutíferas naquele terreno, cuidou de uma boa horta e sempre teve seus poucos animais domésticos: galinhas, cabritos, pombos, casal de porcos. Tudo isso foi trabalho brutal de seus últimos anos de vida. Quando morreu aos 33 — da maldita tuberculose — deixou minha avó com três crianças: tia Valentina, que logo foi para uma escola de órfãs, minha mãe, Carmen, de seis, e um menino de dois anos, Jorge, que morreu pouco depois, também de tuberculose.

Por um bom tempo, minha avó viveu daquelas frutas, das hortaliças — e do pão que ela fazia. No período em que morou nessa casa, sozinha com as duas filhas pequenas, ela me contava que, às vezes, ouvia passos lá fora e gente forçando a porta e as janelas. Nessas horas, fingia que o marido ainda existia: "Pedro, tem gente aí, Pedro!". Ou então: "Pedro, vai ver quem é!". Falava como se lá dentro não vivessem apenas uma mulher assustada e duas crianças. Nunca entraram na casa. É de supor que vovó era convincente em seu faz de conta.

Quando, aos poucos, os rigores dos primeiros anos se abrandaram para os Pinna, veio a Primeira Guerra Mundial. Como pensar em voltar para a Europa diante daquela tragédia? E voltar para quê? Para os homens da família morrerem lutando? Ficaram. E, como seus homens não se apresentaram para lutar, foram considerados desertores. Cultivavam, aliás, a história de uma bênção que um frade teria dado a um avô do meu bisavô, garantindo-lhe que nenhum de seus descendentes jamais seria convocado para uma guerra. E eles acreditavam piamente que era a tal bênção que os protegia da morte em campos de batalha.

Minha avó casou três anos depois com outro italiano, Camillo del Cocco, que era belíssimo. Quando eu nasci, já estavam juntos oficialmente havia muito. Ele tinha vindo de São Paulo, de uma família do Brás, e se dizia de origem nobre.

Vovó implicava: "Nobre? Nobre nada, ele é napolitano!". Segundo ela, durante os festejos da unificação da Itália, o rei Vítor Emanuel apareceu na sacada do palácio, em Nápoles, e diante da multidão que o ovacionava gritou, agradecido: "*Tutti baroni!*" — todos barões! A partir daí os napolitanos passaram a se dizer barões.

O segundo marido de minha avó foi um excelente substituto de pai para minha mãe e minha tia. Ele e vovó começaram um negócio muito comum no subúrbio, que se chamava "depósito de pão". Agora não existe mais isso. Era uma pequena loja onde se vendia tudo que se comia no café da manhã: pão, manteiga, café, leite, queijo, biscoitos, bolachas, arroz-doce.

Passaram, depois, a tocar um restaurantezinho. Sempre no subúrbio. O progresso deles contou com a ajuda fundamental de tia Vicenza e daquele seu segundo marido, o bom Mourelle. Contava-se que ele dizia para minha avó: "Maria, se eu tivesse casado com você, a gente fundava uma cidade". Quando eu me pergunto como esses imigrantes, meus antepassados, conseguiram sobreviver, a resposta passa pela figura generosa desse tio espanhol.

Pelos anos, o ganho com os modestos restaurantes possibilitou a construção de oito casas, também modestas, num grande terreno alugado. (Alugava-se terreno, então.) A área do Campinho pertencia às herdeiras da grande fazenda que ali existiu no tempo do Império. O aluguel dessa propriedade foi a base do sustento dos meus avós enquanto viveram. Mais tarde, minha mãe e minha tia compraram o terreno de uma das donas, Alaíde, com quem minha avó sempre se relacionou.

Meu tio-avô José — o irmão mais velho de vovó — não

quis seguir com os outros Pinna para o Rio. Ficou em Minas, onde formou família com tia Conceição, uma jovem espanhola. Fui visitá-lo em 1954, já casada com Fernando. Ele estava nos seus oitenta anos. Foi o meu tio-avô mais amado. A seu convite, fomos visitar a mina de Morro Velho, desativada havia tempos. Perguntei-lhe se nunca pensou em voltar para a Itália. Resposta: "A miséria lá é igual à daqui. Pra que voltar? Não". Tio José tinha ascendido à condição de modesto aposentado como ferroviário da Estrada de Ferro Central do Brasil. Era o suficiente. Sempre nos comunicamos pela vida, enquanto ele viveu. "Arletta", era assim que me chamava. Sempre o vi amoroso e sorridente. Numa carta que me enviou em 1955, ele deu detalhes sobre a viagem de vinda para o Brasil. O navio que os trouxe da Itália chamava-se *La Gritta*. Relembro a data da viagem: 1897. Por se tratar de um contrato oficial, de governo para governo, todos os registros ainda se encontram no Departamento de Imigração, em Juiz de Fora.

Quando fui à Europa pela primeira vez, em 1974, com Fernando e nossos filhos, voamos até Cagliari e lá tomamos um ônibus para Oristano, a cidade mais próxima da aldeia dos meus sardos. Contratamos um motorista que nos levou de carro até Bonarcado, onde passamos por um grupo de velhinhos sentados ao sol, numa ladeira, com suas boinas e coletes de veludo bem vividos. Um rapaz que conversava com eles aproximou-se de nós, e o motorista contou que vínhamos do Brasil e que eu pertencia às famílias Pinna, Piras e Nieddu. O rapaz me saudou: "Então, somos parentes!". Ele também era Pinna. E incrivelmente parecido com minha mãe. Levou-nos até os velhinhos, que nos acolheram, afáveis. Um deles disse que tinha conhecido meu bisavô e que ambos haviam deixado a Sardenha juntos, com a diferença de que ele seguira para a Argentina e depois voltara para a Itália. É claro que o velhinho estava enganado, mas, diante daquele esforço de comunicação, de reconhecimento, que importava?

A metade da casa de pedra em que meus avós viveram ainda estava lá. A gruta onde são Bento teria dormido ainda podia ser visitada. Voltei a Bonarcado outras vezes. Em 2010, a convite do governador e do prefeito. Na mesma visita fui recebida, oficialmente, em Roma e em Milão. Tive a alegria e a emoção de fazer essa viagem com minha irmã, Aída. E haja coração!

E haja coração também para minha herança lusa. Ao contrário dos parentes italianos, barulhentos e briguentos mas, ao mesmo tempo, amorosos, prontos para o congraçamento, os portugueses, do ramo paterno, eram sombrios, difíceis. Meu bisavô, de sobrenome Capela Esteves, veio para o Rio de Janeiro com as duas filhas, Ana e Adelaide, depois que minha bisavó morreu na sua aldeia, Chaves — situada na região de Trás-os-Montes —, num incêndio do depósito de fogos, durante a festa de São João. Minha avó era trasmontana e meu avô, José, era da região do Minho. Uma terceira filha, Lucrécia — que é um nome estranhíssimo para uma aldeã lusa —, ficou em Portugal. Sabe-se que fez um excelente casamento e galgou muitos degraus na escala social, na primeira década do século passado.

Os portugueses da família de meu pai não vieram nas grandes levas de imigrantes. Chegaram para se juntar aos parentes chacareiros que viviam na ilha do Governador, de onde traziam verduras, de barco, até a praça Quinze, no centro do Rio. Minha avó Ana, com apenas quinze anos, logo se casaria com um primo, que, não muito tempo após o casamento, morreu afogado na baía da Guanabara, ao cair do barco que transportava as verduras a serem vendidas. Certa vez vovó me contou que, já viúva, bastante jovem, viu o anúncio de uma companhia teatral que procurava coristas e, por um breve instante, já que era muito bonita, pensou em se candidatar, mas concluiu que aquilo não era para ela. Empregou-se então como doméstica na casa de um senhor português, José Pinheiro da Silva, bem mais velho, com quem pouco tempo depois se casou. Ele também era viúvo e pai de uma filha, minha muito, muito querida tia Alice, irmã que meu pai adorava.

José era chefe de uma seção técnica das oficinas do que viria a ser a Light. Casaram-se no civil e na igreja, como mandava o figurino, e tiveram quatro filhos. Aos 65 anos, meu avô morre, de repente, do coração. Mais uma vez, com apenas 25 anos, vovó se viu sozinha, com quatro crianças, numa época em que não existia nenhum amparo social. Se o provedor morria, a família ficava ao relento. Minha avó trasmontana foi muito objetiva: pôs todos os filhos em colégios de órfãos e passou a ganhar sua sobrevivência na manufatura de bandeiras de todo tipo. Esse trabalho, ela coordenava em sua modesta casa, situada no bairro de Santo Cristo, um reduto absolutamente luso.

Aos sete anos, meu pai foi internado, junto com o irmão mais velho, Eduardo, no Instituto João Alfredo, uma escola profissionalizante fundada em 1875 por d. Pedro II, de onde ele só sairia doze anos mais tarde. Meu tio Eduardo, insubmisso, foi obrigado a deixar a instituição pouco depois de aceito.

Minha avó, Ana Albina Pinheiro Esteves da Silva, visitava o filho quando podia. Nos primeiros sete anos recluso, meu pai nunca atravessou aqueles portões. Ele nos contava que, passado esse período, quando já era um adolescente de catorze anos, a mãe o levou para casa, numa folga. Sua grande curiosidade era saber onde e como uma rua terminava.

O Instituto João Alfredo oferecia um excelente padrão de ensino técnico. Os professores, os mestres, os "oficiais", eram, na maioria, imigrantes portugueses, espanhóis, italianos, alemães, que possuíam uma herança profissional prática e apurada. Ensinava-se tudo que era necessário para operar na área industrial, que então se iniciava no Brasil. Além disso, os internos eram obrigados a praticar ginástica, dispunham de atendimento médico e recebiam educação musical, coordenada pelo prestigioso maestro e compositor Francisco Braga. Papai saiu com o que seria, na época, o ginásio e o ofício de modelador mecânico, que compreende ler qualquer desenho industrial e modelar em madeira peças que seguem para a fundição.

Às duas filhas, minhas tias, o colégio de órfãs, afora o ensino básico, ministrava aulas de francês, caligrafia, piano e bordado. O currículo mirava "as habilidades do feminino", da domesticidade. Durante o período em que permaneciam ali — e isso minha tia Valentina, do lado materno, que foi igualmente interna num orfanato, me confirmou —, era comum as alunas bordarem os enxovais das grandes famílias. Elas recebiam também noções de pintura. Tia Valentina, depois de sete anos, saiu do colégio falando um bom francês, tocando piano e com a profissão, se quisesse, de calígrafa. Seu primeiro emprego foi num tabelião, em meados da década de 1920.

Do lado português, sei apenas o que meu pai nos contou, pois houve um rompimento entre as famílias quando ele se casou com mamãe. Minha avó lusa achou o casamento do filho um desrespeito. Ela o criou, fez por ele tudo que pôde e, na hora de viver para ela, junto dela, das irmãs e do irmão, ele ia casar? "Na hora em que ele deveria me sustentar, ele vai se casar, e casar com uma filha de italianos?" Isso ela disse cara a cara para minha avó italiana. E foi mais longe: "D. Maria, eu deveria ter apertado o pescocinho de cada filho quando nasceu!".

Sempre que meu pai se lembrava desses fatos, os olhos dele se enchiam d'água. Sua mágoa da mãe era de cortar o coração. Em torno dessa avó há fatos inacreditáveis. Qualquer falha de um filho, desde a mais tenra infância, ela "curava" com uma surra de relho. E toda vez apanhavam os quatro. Um seguido do outro. Minha avó dizia que era para ninguém rir de ninguém. Sua paixão, apesar das surras, era o filho Eduardo, com quem era unha e carne. Ela explicava que esse filho não tinha juízo, não sabia o que fazer da vida e, sendo o desajustado entre os irmãos, merecia mais proteção e a sua preferência.

Há um fato sobre meu pai e sua mãe que é a prova do extraordinário caráter e saúde mental desse homem tão querido. Ele contava dezenove anos e já ganhava sua vida quando, sem nenhuma razão, minha avó Ana se enfureceu, pegou o relho e começou a surrá-lo. Meu pai não se mexeu. Deixou que ela batesse até cansar. Terminada a surra, meu pai, com calma, comunicou que aquela era a última sova que ele suportava. Se a mãe ousasse tentar repetir a ação, ela nunca mais o veria. E, é claro, nunca mais houve agressão tão desmedida. Nunca mais.

Esse desvio psicológico era uma característica de minha avó portuguesa, e não da vivência materna lusa. Sou carioca. Cresci cercada do convívio lusitano. Além de meia herança de sangue, Portugal é parte fundamental da nossa formação. Na minha infância, o mundo português estava em cada canto dessa minha cidade. A própria arquitetura local comprova esse fato, e também as grandes festas religiosas, o nosso chiado quando falamos, o presépio, a bacalhoada, as leiterias, o arroz-doce, as rabanadas, os cozidos, os poetas e escritores — Eça de Queirós, Fernando Pessoa, Júlio Dinis, Sá-Carneiro, Alexandre Herculano, Camões (obrigatório nas análises léxicas da língua portuguesa no ensino primário daquele tempo) —, o sebastianismo. Temos outras influências culturais muito fortes, como a africana, mas a presença lusitana nos acrescenta ainda o poderoso legado ibérico. É impossível não se sentir em casa quando se pisa naquele solo.

Milagre desta nossa terra: os filhos de meus avós portugueses e italianos já vieram ao mundo brasileiríssimos. Quando nasci, minha mãe tinha vinte e meu pai 27 anos de brasilidade, e ninguém era mais brasileiro do que eles.

Aceitar as minhas raízes do além-mar não contamina, em nada, a brasileira que sou, a atriz carioca que sou, cultural, socialmente falando. Vivo em qualquer lugar, mas, no fundo, é sempre a partir desta minha cidade e deste meu país que eu olho o mundo.

Nasci no subúrbio do Rio de Janeiro, no bairro do Campinho, entre Jacarepaguá, Cascadura e Madureira, quando essa redondeza era uma área de moradias em terrenos ainda com árvores, hortas, animais domésticos. Vim ao mundo numa manhã de outubro de 1929, numa casa da rua Alaíde, onde viviam meus pais e meus avós maternos. A família tinha o hábito de se mudar, comandada por minha avó Maria, que a toda hora descobria um local mais bonito, uma casa com um quintal melhor — um endereço que ia ser o ideal. Não sei se essa inquietação de buscar "o lugar" é própria dos imigrantes, mas sempre mudamos, sempre viajamos. Assim, morei em todos os bairros do subúrbio do Rio, inclusive na ilha do Governador.

Acho que fui bem recebida. Sou a primeira filha e a primeira neta. Nasceram, em seguida, um menino, José, que morreu com dez meses, e duas meninas, Aída e Áurea. Para papai, que se chamava Victorino Pinheiro Esteves da Silva, nomes iniciados por A poderiam nos poupar, na vida, de longas esperas em listas de chamada — principalmente na escola. Daí Áurea, Aída e Arlette, meu nome, inspirado no da atriz francesa Arlette Marchal, a quem mamãe admirava.

Quando meus pais foram viver em sua própria casa, fiquei morando com vovó e com vovô Camillo, seu segundo marido. Eu tinha quatro anos de idade. As moradias eram próximas. Não houve despedidas. Talvez meus pais desejassem, generosamente, confortar minha avó, que se apegara muito a mim. Ela, pela vida, já sofrera a perda de tantos filhos. Falava deles o tempo todo: da filha mais velha, que morreu com cinco anos; dos gêmeos — um aborto natural de seis meses — que ela e meu avô Pedro chegaram a batizar. E de como vovô os levou, numa caixa, para serem enterrados no cemitério em Ricardo de Albuquerque. Ela passou momentos insuportáveis, desesperados, mas não me recordo de vê-la lamurienta, sem energia ao lembrar tais fatos. Era como se fosse um raconto. Uma vivência. Melancolia é um sentimento burguês. O pobre não tem tempo para dar atenção a esse tormento. É lógico que os meus imigrantes tinham suas crises, até psíquicas, porém a saga que viveram não foi transmitida como algo impossível de ser suplantado. O resistir nos era narrado com energia, com crença, para que nossa história se "perpetuasse" em seus descendentes brasileiros como um fato positivo em mim, nos meus filhos, netos, bisnetos e em quem mais chegasse.

Minha avó foi a grande companheira da minha infância. Tinha a memória incandescente dos analfabetos. Era uma contadora de histórias: da carochinha, de fantasmas, de Malasarte, da Bíblia — a de Moisés, tentando entrar na Terra Prometida; a de Jacó, encontrando seu filho, José do Egito (ela costumava chorar nesse trecho). De certa forma, era quase sempre a crônica de um expatriado que dera certo. No departamento das vidas de santos, uma de suas preferidas era a de santa Clotilde — ela dizia santa Genoveva, padroeira de Paris —, para quem os sinos repicaram quando, segundo vovó, a rainha, depois de anos abandonada na floresta, retornou gloriosa à sua cidade, trazendo o filho, herdeiro do trono. Mais uma história de exilado, inventada ou não, que volta a seu lugar de origem.

Quando crianças, eu e meu primo Pedrinho pedíamos, incansavelmente, que ela repetisse a história do pastor aprisionado pelo gigante de um olho só. Segundo minha avó, a Sardenha, no passado, foi uma terra só de gigantes. Esse de um olho só confinou um jovem pastor numa gruta junto com suas ovelhas para devorá-lo mais tarde. Ao ser preso, o rapaz levou com ele um porrete. Mas o gigante se embriagou e, como sempre fazia, dormiu na entrada da gruta para fechá-la. O jovem, então, com o porrete, furou o olho do gigante, que, aos urros, se pôs sentado de pernas abertas na boca da gruta para que o rebanho, ao passar, fosse apalpado por ele, e dessa forma, embora cego, ele pudesse trucidar o esperto pastor. Porém, o rapaz, ainda no fundo da gruta e enquanto o gigante dormia, matou dois carneiros e se enrolou na pele deles. Ao apalpá-lo, o monstro pensou se tratar de mais um carneiro, e assim o jovem pastor, por pura astúcia, conquistou a liberdade.

Tenho absoluta certeza de que essa minha tribo nunca ouviu falar de Homero, da *Odisseia*, de Ulisses. Com total atrevimento, digo que os mitos, as lendas desses povos do Mediterrâneo, nunca tiveram dono.

Minha avó era engraçada. Quando lembrava do meu irmão que morreu, dizia, comovida: "Ele era lindo, era a cara do Rodolfo Valentino". Nós estranhávamos: "Como, vovó, a cara do Rodolfo Valentino com dez meses?!".

A primeira viagem que fiz, aos cinco anos, foi a São Paulo, ao bairro do Brás. Era uma viagem, na minha emoção, quase planetária. Eu tinha uma foto bonita, de marinheirinha, na estação da Luz — na época era charmoso as crianças terem uma roupa de marinheirinho, com bonezinho e tudo. E posamos os três, eu, minha avó e meu avô postiço, muito bem-arrumados, naquele jardim da Luz. Nesse tempo uma foto era sempre uma ocasião especial. Devíamos vestir a melhor roupa e manter o semblante sério.

Deslocar-se de um estado para outro era um momento importante, ansiosamente esperado pelos meus avós. Naquela casa italiana do Brás, os parentes de vovô Camillo sempre tinham umas comidas diferentes, como alcachofra, queijos especiais, azeites de sabor mais sofisticado, azeitonas temperadas, que trazíamos na bagagem, porque no Rio não era fácil encontrá-los.

Na família, a base da diversão era o cinema. Mamãe e papai eram cinemeiros. Chegávamos a ver três filmes por semana. Cada zona de subúrbio tinha no mínimo três cinemas: um melhor, um médio e um baratinho, ao alcance de todos. Lembrança referencial para mim é nossa mudança, quando eu contava três anos de idade, para o bairro do Engenho de Dentro. Meus pais e avós ainda moravam juntos, num sobrado em cujo primeiro andar vovó e vovô Camillo tinham um pequeno restaurante e, no segundo, estava nossa moradia. Esse prédio ainda resiste lá até hoje. Na igreja que frequentávamos, perto de casa, aos domingos, sem falhar, havia sessões de cinema com os filmes de Carlitos. Charles Chaplin. Esse genial artista está na minha memória mais remota.

Nos cinemas de bairro, até recém-nascidos eram aceitos. Lembro de mamãe amamentando minha irmã mais nova, Áurea, durante as sessões. Eu ia toda semana ver um ou dois filmes com minha avó e o meu primo Pedrinho. Assim que me alfabetizei, passei a ler as legendas para ela. Como esquecer filmes em que o mocinho e o bandido lutavam em cima do vagão do trem em movimento, de hidroaviões que milagrosamente pousavam na água. Além dos seriados de Flash Gordon, dos desenhos do Mickey Mouse. O cinema fazia parte do nosso sonho, da nossa fuga. E muitos filmes de amor, de indestrutível amor. Uma fotografia deslumbrante. As atrizes eram divinamente belas. Havia sempre uma luz extraordinária no rosto de Greta Garbo, Marlene Dietrich, Danielle Darrieux, Myrna Loy, Bette Davis, Joan Crawford...

Íamos também ao circo. Alguns eram chamados de "circo pavilhão". Essa designação cabia quando, no fundo da arena, se abria um pequeno palco onde, depois do espetáculo no picadeiro, se apresentava um melodrama ou uma comédia curta, bem popular.

Algumas das nossas igrejas de subúrbio tinham modestos espaços culturais. No Campinho, onde eu ainda morava, no fundo da igrejinha de São Sebastião, aos cuidados de um primo, Pérsio da Veiga, existia um teatrinho. Com oito anos, participei ali de um dramalhão português chamado *Os dois sargentos*, que era muito representado nos circos. Fiz o papel, como menino, de um dos sargentos. Uma única apresentação. Foi a primeira vez que pisei num palco. Guardei para sempre na lembrança a sensação de levitar, envolvida numa luz cor-de-rosa e eu me sentindo fora de mim. Mas nem sequer suspeitei de que, um dia, aquele mistério seria o meu ofício. A minha vida.

Gostávamos de música em casa — tínhamos um gramofone e nele ouvíamos Caruso, Vicente Celestino, Gilda de Abreu, Tino Rossi, Tito Schipa e muita música popular brasileira. Sempre tia Valentina ao piano. Quando saiu do colégio de órfãs, ela recebeu o que chamavam de dote — na verdade, um pecúlio, resultado dos trabalhos de bordado que as meninas faziam quando internas. Com esse dinheiro, minha tia comprou, entre outras poucas coisas, um piano. Não era preciso ser rico nem remediado para ter um piano — havia quem os vendesse de segunda ou terceira mão, a prestação. Em quase toda casa se tocava um instrumento, pois quase sempre era assim que as famílias faziam suas festinhas.

O subúrbio, no Rio, naqueles velhos tempos, era muito especial. E digo isso sem saudosismo ou romantismo barato. Entre seus personagens obrigatórios estavam os judeus que vendiam joias simples a prestação, com suas malinhas, de porta em porta. Na década de 1930, prevendo que Hitler seria uma desgraça, muitos já haviam emigrado. Madureira era um centro da comunidade judaica tentando sobreviver. Lembro do nosso amigo polonês, judeu, sr. Luís, que durante anos nos vendeu joiazinhas. Logo que acabou a guerra, um irmão e a cunhada vieram se juntar a ele. Vendiam a prazo, confiando que se pagava — e se pagava. Porque era digno, imprescindível, possuir alguma joia: um brinco, uma medalhinha, um cordão, uma pulseirinha de ouro — a herança de um costume bem português. Todo mês se recebia a visita do vendedor, tomava-se café com ele, conversava-se como se ele fosse parte da família. Quando se quitava uma prestação, começava-se outra, pelos anos afora. Embora judeus, vendiam medalhinhas com a figura de Nossa Senhora, santa Teresinha do Menino Jesus, de são José, além de anéis de noivado e de casamento.

Havia também os sírio-libaneses. Esses vendiam enxovais para as virginais noivas do meu subúrbio. Tecidos nobres — ou não tão nobres — para as viúvas, para as aniversariantes, para os ternos do marido, do pai, do jovem filho. Os homens, para os ternos, usavam casimira e linho branco. Todo esse material era importado. Os vendedores chegavam carregando uma bolsona com todas as mercadorias. As vendas, sempre a longo prazo. E, claro, havia as costureiras e os alfaiates. Não existia prêt-à-porter. E, em casa, era sagrado fazer roupa nova na Páscoa, no Natal e no aniversário. De resto, na nossa faixa social, o consumo era o indispensável. Sim, todos sabiam, na pele, que viria o dia de amanhã.

O leiteiro, o padeiro, o verdureiro, o açougueiro — todos vinham vender à nossa porta e, em especial, entre tantos ambulantes, havia o vendedor de folhetins. Em casa, era sagrado ler aqueles romances, em fascículos, de autores desconhecidos, trazidos para nós pontualmente, ansiosamente esperados a cada semana. E como os parentes moravam perto uns dos outros, as mulheres se reuniam para ouvir o folhetim semanal. Mamãe, que lia bem, era ledora em voz alta para todas. Havia histórias de condessas russas, duquesas polonesas ou francesas, de príncipes árabes, de mendigos — sempre os mendigos — salvos de injustiças, claro, por um nobre ou um religioso. E invariavelmente um amor arrebatador levava os amantes ao casamento. Ao futuro. À felicidade. Os folhetins provavam ser possível o milagre da felicidade.

Em casa, mesmo na sua modesta economia, minha mãe e meu pai jamais toleraram remendos, louças lascadas, bicas pingando, gavetas emperrando, maçanetas quebradas, infiltrações. Tudo no seu lugar. Utilizável, limpo, presente.

Minha mãe não era, em absoluto, de temperamento derramado. Era uma mulher sensitiva, extremamente observadora e, ao atender o marido e as filhas, revelou-se em eterno estado mítico de gestação. Mulher, mãe, avó e filha. Frágil, mas poderosa. Aguçada. Reservada. Tinha uma fé silenciosa, solidária, socorrendo-nos, sem alarme e, por herança mística, com novenas e trezenas. Jamais carola. E tinha um humor singular. Realista. Sobre adultério: "Homem? Homem só não faz quando não tem competência". Das primas, era estranhamente a única sem retrato de noiva. Explicação: "Estava tão magra que, quando me olhei, aquele vestido parecia mais uma mortalha. Pra que retrato?". "Vizinho? Até prova em contrário, pode ser um inimigo." Se não era, a amizade se apresentava sadia, irmanada. No trato com as filhas, meu pai era mais feminino do que ela. Era a ele que nós pedíamos que cantasse "Teresinha de Jesus" antes de dormirmos. Nossa mãe, ao nos cuidar, nos banhar, alimentar, era amorosamente severa. Fato inesquecível: sempre acabávamos em torno de sua mesa, onde não faltavam a toalha e o pão. Estava implícito que, sem pão — que é o próprio Cristo —, segundo a crença instintiva, leve e solta da família, não havia mesa digna para a gente sentar e comer. Meus filhos, bem pequenos, chegaram a ver, distanciados, esse ritual, mas, penso, nunca deram real conta de sua origem. Esclareço que tal misticismo cristão jamais foi doutrinário. Nunca foi uma evangelização. Não havia obrigação do ato religioso entre nós. O que tivemos de mamãe, no seu silêncio através dos anos, foram promessas a Deus e aos santos pela saúde dos seus, pela paz das filhas com os maridos, pelo encontro de algo perdido, pelo bom resultado dos netos nos exames escolares, pelo sucesso profissional de todos nós. Seus ex-votos eram habitualmente levados à tricentenária igreja de Nossa Senhora da Penha — um histórico santuário, num bairro hoje sequestrado pelo narcotráfico. No fim da sua vida, eu percebi minha querida mãe já totalmente desligada dessa ritualização tão emblemática.

Sempre, numa hora de aflição, é ela que me vem à cabeça. Ao coração. Eu me vejo muito em minha mãe.

Um irmão de minha avó Maria, tio João, casado com tia Regina, que era vêneta, teve um filho com outra mulher. Esta não tinha condições de cuidar da criança e meu tio perguntou a vovó se não queria criar o sobrinho. Ela concordou, gerando um problema com a cunhada. Mas tia Regina também tinha bom coração, perdoou e tudo acabou bem.

Cresci junto desse primo, Pedrinho, quase um irmão, de quem minha mãe, mal saída da adolescência, cuidou apaixonadamente desde os dois anos. Ele me ensinou a soltar pipa, pegar passarinho com arapuca, jogar bola de gude, brincar de pique e de esconde-esconde, pular amarelinha. Muitas vezes, ele e seus amigos ameaçavam matar os passarinhos. Eu, aos seis, sete anos, “roubava” uns trocados da vovó e comprava os bichinhos. Soltava-os ou os guardava num quarto vago da nossa casa. Claro que os meninos não matariam os passarinhos. Era uma maneira de ganhar algum dinheirinho.

Ainda na década de 1930, aos seis anos, morei com meus avós em Belo Horizonte, por seis meses, período em que convivi e muito com tio José, seus filhos e netos. Nessa cidade, tive as minhas primeiras aulas de alfabetização, na escolinha de d. Sacula, professora já idosa, gordinha, em cuja sala de aula havia uma vara comprida, encostada na parede. Nunca foi usada, mas dava medo.

Da capital de Minas, meus avós seguiram para Ibiá, hoje um município, porém, na época, somente uma parada de maria-fumaça, próxima a Araxá, onde vovó pretendia tratar sua diabetes. Foram para esse lugarejo a conselho de uma amiga mineira, nossa vizinha. Aí moravam sua filha e seu genro. Tudo muito simples e muito complicado. Não se é imigrante impunemente.

Ibiá tinha pouquíssimos habitantes. Meus avós fizeram amizade mais firme apenas com três famílias desse lugar: a da filha e do genro da amiga vizinha de Belo Horizonte, outra de linhagem sírio-libanesa e uma terceira, italiana. A família sírio-libanesa era composta de um casal com onze filhos, dez moças e um rapaz. O jovem era assustadoramente adorado e bajulado pelas irmãs. Até eu, com seis anos, estranhei. Os italianos, que não sei como foram parar ali, eram abastados na medida do possível. Havia constantes visitas noturnas a essas famílias, cujo momento glorioso era o do cafezinho, torrado na hora, sempre pelando de não se poder beber.

As duas filhas do casal italiano eram professoras formadas na próspera cidade mineira de Formiga e mantinham, na própria residência, uma escolinha, que logo passei a frequentar. A qualidade do ensino era ótima. Aprendi a ler — e muito bem — nos seis meses em que ficamos morando naquela parada de trem.

O mundo ali girava em torno da igreja e de sua pequena praça. Meu primo Pedrinho logo foi ser coroinha. Frequentar a matriz era socialmente obrigatório. Na Semana Santa, na procissão do Senhor Morto, toda a reduzida população feminina seguia ao lado do andor de Nossa Senhora dos Sete Punhais. A imagem de Maria era terrível e dolorosa, com aqueles grandes punhais cravados em seu coração. A procissão dos homens acompanhava o andor de Cristo carregando sua cruz. Todos portavam velas acesas e algumas matracas. E o cortejo parava para ouvir Verônica cantar, depois de limpar o sangue no rosto da estátua de Jesus. Mais um quadro espantoso para uma criança de seis anos. Então, Maria encontrava seu Filho e as procissões se fundiam. Na dor!

Na Páscoa, às quatro horas da manhã, nós três, vovó, Pedrinho e eu, já estávamos na frente da igreja, na pequena praça do lugar. Não lembro se o padre ou um bispo veio bater na porta da pequena matriz. Ela se abriu e a nave, em louvor à ressurreição de Cristo, lá estava, exultante em dourado, flores brancas, ao som dobrado de sinos e mais sinos. No mês de outubro, pela primeira vez, na pracinha de Ibiá, eu vi uma congada. Também nesse lugarejo vi muitas boiadas. Alguns touros, poucos, trepados no traseiro das vacas. Lembro que comentava com vovó que o boi era preguiçoso, queria ser carregado pela vaca. Tenho na memória também os casamentos com a noiva, de véu e grinalda, mais o noivo com seu terninho, indo a pé para a igreja, seguidos pelo cortejo todo empoeirado daquele chão barrento.

Quanto à família italiana, só anos depois meus avós foram entender que eles eram fascistas. Nas visitas que lhes fazíamos, mostravam livros e relatórios que o dono da casa recebia da

Itália. Ele destacava o quanto seu país estava salvando a Abissínia, construindo escolas, hospitais, estradas, e argumentava que se a Inglaterra, a França, a Holanda e a Bélgica tinham colônias na África, na Ásia, por que a Itália não poderia também ter as suas? Vovô e vovó, que me lembre, só ouviam. Minha avó, desde quando Mussolini invadiu a Albânia, não respeitando o parto da rainha Geraldina, sempre disse que aquele poderoso italiano já estava sumariamente condenado por Deus a ser morto em praça pública, enforcado e pendurado de cabeça para baixo. A quem não respeita o parto de uma mulher, o nascimento de uma criança, só existe a punição dos infernos. Dessas visitas, guardei para sempre as palavras: Abissínia, Addis Ababa (capital) e o rei Haile Selassie.

O que eu tenho de mais bonito na memória dos seis meses em Ibiá são as minhas duas queridas professoras irmãs. Ligado a essa lembrança, há um fato inesquecível: para a festinha de fim de ano, elas organizaram, num cineminha local, um balezinho com algumas alunas. O balé se chamava *A dança das libélulas*. As meninas, vestidas de borboletas esvoaçantes, rodopiavam, fingindo voar, com as asinhas de tule presas nos pulsos. Achei lindo. Eu queria tanto estar ali, com elas. Mas quem era eu para me julgar à altura daquelas colegas que dançavam? Diante das mineirinhas, eu era uma forasteira, uma carioquinha que estava de passagem naquele lugarejo. Só me sobrava a inveja. Muita, muita inveja.

Após um ano longe do Rio de Janeiro, voltamos para o nosso subúrbio, para a nossa casa. Percebi em minha mãe a recuperação da depressão que ela enfrentara. Creio que a saudade provocada pelas constantes ausências de sua filha e de sua mãe foi a detonadora dessa crise da qual mamãe se livrou por meio de um disciplinado tratamento médico.

A moradia dos meus avós agora era em Jacarepaguá, dentro de um grande terreno. Passou a viver conosco um negro velho — "seu" José — que ajudava nos cuidados da horta e dos poucos animais. Era um homem nobre, honesto. E muito religioso. Vovó e ele conversavam bastante. Jamais esqueci a manhã em que "seu" José, comovido, nos contou o seu sonho: "D. Maria, essa noite eu sonhei com a Virgem Maria. Disse tanto, tanto palavrão bonito pra Nossa Senhora". Levei um susto. Palavrão bonito para Nossa Senhora?

Com relação a essa horta, lembro sempre de minha avó com sua faquinha, tirando seus quiabos, sua alface, sua couve, seus jilós. Fazer as sementeiras era uma brincadeira memorável para mim e meu primo. Quando se joga a semente, nasce tudo junto. Em seguida, é preciso tirar mudinha por mudinha e replantar com espaço. Parece folclore, mas a infância foi uma hora bonita. Não estou romanceando. Tenho quase um século de vida, portanto posso dizer: "Era no tempo do rei".

Próximo dos meus oito anos, entrei para a escola pública de Jacarepaguá no segundo ano primário, pois já estava bem alfabetizada. A partir da era getulista, os colégios públicos primários passaram a ser mistos. A professora se chamava Carmosina Campos de Meneses. Era uma mulher grande, mais para gorda, tinha uma voz forte, o cabelo curto. Ela era como um comandante, preciosa no ensino, cuidadosa, tratava a todos igualmente. Graças a um projeto criado por Villa-Lobos, dentro da nova estrutura getulista de educação e cultura, com Gustavo Capanema à frente, tínhamos aula de canto orfeônico duas vezes por semana. Aprendíamos canções do folclore brasileiro, pesquisadas e registradas, na sua maioria, por Mário de Andrade. Participei de uma concentração de toda a garotada do Distrito Federal, uniformizada, no campo do Vasco. Fomos separados de acordo com as vozes e regidos pelo próprio Villa-Lobos, num belo terno de linho branco. Era a comemoração do Dia da Raça, um ato fascistoide, copiado de Mussolini. Aprendíamos também que "O Brasil deposita a sua Fé e a sua Esperança no Chefe da Nação". As escolas públicas forneciam livros, cadernos, lápis de cor e merendas — muitas vezes, sopa — para os que não tinham condições. O Estado supria essa carência. Aprendíamos todos os hinos pátrios. Hasteávamos a bandeira e todos os dias cantávamos o Hino Nacional. Uma vez por semana, de luvinhas brancas, fazíamos a volta no pátio, carregando a nossa bandeira.

D. Carmosina exigia o domínio das matérias, e o ensino da língua portuguesa recebia uma atenção maior da parte dela. Diariamente, éramos obrigados a ler em voz alta e explicar o que tínhamos lido. Durante as férias de julho e de fim de ano, d. Carmosina exigia que os alunos decorassem, a escolher, poemas de Castro Alves, Casimiro de Abreu, Gonçalves Dias, e na volta às aulas os declamassem em sala.

Não permita Deus que eu morra,
Sem que eu volte para lá;
Sem que eu desfrute os primores
Que não encontro por cá;
Sem qu'inda aviste as palmeiras,
Onde canta o sabiá.

No início dos anos 1930, quando da revolução de 1932, para espanto e desespero dos moradores daquele subúrbio não tão próximo, mas a caminho do Campo dos Afonsos — base da Força Aérea Brasileira, portanto, aeroporto dos aviões de combate da contrarrevolução —, o governo comunicou que essa região estava ameaçada de bombardeios pela aviação revolucionária paulista. Pânico geral. Como largar tudo e sair porta afora? Para onde? Diante de um bombardeio, o que sobraria? Mais uma vez, o que seria deles, principalmente dos mais velhos? E o mesmo estupor acontecia com a vizinhança.

Minha avó — sempre minha avó — pediu calma. Muita calma. Ela rezaria o Responso de Santo Antônio — o santo diria o que fazer. E foi para o quarto, ajoelhou-se ao lado da cama e começou a oração. Entra, então, pelo quarto, vindo do quintal, um cabritinho nascido fazia alguns dias. Aproximou-se de minha avó e se deitou debaixo da cama, justo no lugar onde ela estava ajoelhada. Vovó, tomada de emoção, termina o Responso. Levanta-se, chama a família e comunica feliz que não ia ter bombardeio coisa nenhuma. Santo Antônio havia respondido através do cabritinho. Nada ia acontecer. Nada. Todos — irmãos, filhos, netos, sobrinhos-netos — se abraçaram felizes e tranquilos. E ponto-final.

Há o lado místico, não vou negar: sou produto dessa gente. O cabritinho, cuidado pela minha avó, veio atrás de sua dona. O que determinou o milagre, creio, foi a resistência daquela imigrante. Depois de 35 anos neste Brasil, aqui era o país dela, a terra deles e de seus descendentes. Houve uma força, uma razão — mesmo inconscientes — de não mais fugir para "lugar nenhum".

Minha vida nos anos 1930 também está profundamente ligada à figura do meu bisavô Francisco. O mais arcaico representante dos meus italianos. O nosso Vovô-Velho.

Embora a maioria fosse analfabeta, com frequência rezavam em latim, como aprenderam na Itália. Meu bisavô, na época viúvo havia muitos anos de minha bisavó Rosa-Joana, ao rezar o credo em latim, curava "mau-olhado". Se uma neta achava que o filho estava quieto demais, que dormia um pouco além da conta, logo pedia ao Vovô-Velho que dissesse a milagrosa oração, cruzando nove pedras de sal num copo d'água. Com a água benta ele fazia uma cruz na testa, outra no plexo, nos pulsos, na nuca, e a criança se normalizava, segundo a mãe. Penso que, em honra a esse meu bisavô e à sua ancestralidade, nos nossos quintais havia sempre uma ou duas cabras e seus cabritinhos, fundamentais no período da Páscoa — data tão importante quanto o Natal. Afinal é quando Cristo renasce e, com ele, a vida e a esperança. No domingo da Ressurreição, sempre o tiozão

José vinha de Minas passar a sagrada festa ao lado do pai, que, enquanto viveu, preparou o esperado "cabritinho de leite" servido no almoço familiar. No nosso subúrbio, tínhamos como culto natalino os presépios, maiores ou menores. Árvore de Natal, com luzes ou neve de algodão, foi uma das novidades que os americanos exportaram violentamente depois da guerra. Na Páscoa, tampouco se ouvia falar em ovo escondido em algum lugar.

Em casa, vovó sempre ajudou meninos pobres, cuidando deles, acomodando-os e mandando-os para a escola. Se o menino era muito levado, Vovô-Velho, que era da Ordem Terceira de São Francisco, enrolava o cordão dessa Ordem na criança, rezando o credo, e tudo se acalmava — e ele fazia isso também com os netos e bisnetos. Aliás, alguns de nós, como eu desde os oito anos, éramos da Ordem Terceira e tínhamos permissão para usar o cordão bento amarrado na cintura debaixo das roupas.

Como esquecer aquele comovente e, para uma criança, estranho Natal na casa de meus pais em que, no fim do almoço, todos em torno da mesa, esse meu bisavô, já bem alquebrado, mas com um sorriso, comunicou com calma e emoção aos meus avós, aos meus pais e a nós três, bisnetas ainda muito meninas, que, em agradecimento a Deus pela família com a qual fora presenteado e pela vida tão venturosa que havia sido a dele ao lado de sua Rosa-Joana, daquele dia em diante iria jejuar em louvor a são Francisco.

Para espanto de todos, ele cumpriu a promessa. Nessa época, frequentava os mais idosos daquele meu conglomerado familiar, como assessor espiritual, o frei Leopoldo. Na minha memória, esse monge franciscano alemão, com seu hábito, era um gigante avermelhado. Em vão frei Leopoldo tentou demover meu bisavô do sacrifício. Passou então a lhe dar a comunhão diariamente. E o nosso Vovô-Velho não demorou a falecer. Foi sepultado vestido com o hábito franciscano da Ordem Terceira.

Na infância sonhei muitas vezes com ele. Sua idade: 92 anos. A minha? Oito. Anos referenciais da minha vida, sempre lembrados nos versos de Casimiro de Abreu, decorados e timidamente declamados por mim na sala de aula daquela inesquecível escola primária:

Oh! que saudades que eu tenho
Da aurora da minha vida,
Da minha infância querida
Que os anos não trazem mais!
[...]

Oh! dias da minha infância!
Oh! meu céu de primavera!
Que doce a vida não era
Nessa risonha manhã!
Em vez das mágoas de agora,
Eu tinha nessas delícias
De minha mãe as carícias.

Nesses primeiros anos de vida, tão protegida, tão feliz e tão livre, sofri também, como todas as crianças, medos, inseguranças, angústias. Mas, apesar da alternância de sentimentos, esses anos me alicerçaram para sempre. Por uma estranha e precoce maturidade, sinto já nos meus oito anos o início da minha adolescência.

Um dia, papai chegou do trabalho com *A Noite* — o jornal que se lia em casa —, e na primeira página havia só duas palavras impressas: PARIS CAIU. Eu nunca tinha visto letras tão grandes. Era o horror de outra guerra, lá na Europa. No nosso meio familiar não entendíamos muito bem o porquê de mais aquela tragédia. Foi um estupor. Em fevereiro de 1942, três navios da nossa Marinha Mercante foram afundados — um deles de passageiros —, atingidos por monumentais submarinos alemães. O Brasil entrou no conflito. Participávamos de exercícios de blecaute, prevendo possíveis bombardeios, e a toda hora faltava algum gênero alimentício, já que havia racionamento. Boa parte de grãos e carne seguia para a frente de guerra. Saíamos às quatro, cinco horas da manhã, para entrar na fila e tentar comprar suprimentos. E, para completar o horror, lá se foram os nossos jovens para a guerra.

Nesse período tão difícil, um vizinho denunciou que perto

da sua casa havia uma família quinta-coluna que falava e ouvia música italiana. Traidores da pátria. Minha avó foi chamada à delegacia. Apavorada. Eles sempre tinham falado as duas línguas em casa. A polícia política informou ao meu pai que a família estava proibida de falar italiano e a partir daquele momento ele, o brasileiro filho de portugueses, Victorino Pinheiro Esteves da Silva, era responsável pelos parentes, como uma espécie de tutor, de informante! Então, minha avó se naturalizou brasileira.

Na minha observação mais doméstica, diante de tantas crises no Brasil e no mundo, a década de 1930 me parece, hoje, monstruosa. Além de herdar a falência econômica do Crack de 1929, esses dez anos trouxeram Stálin, Hitler e Mussolini. É preciso dizer mais? No nosso país, a radicalização político-ideológica sofreu influência desses três monstros através de Luís Carlos Prestes, Plínio Salgado e Getúlio Vargas. Aqui, a referida década começou com a Revolução de 30. Seguiu-se a Revolução Paulista. A Intentona, com Prestes. A Ação Integralista, com Plínio Salgado. E o golpe do Estado Novo, com Vargas. Nessa crise extrema, se a Intentona chegasse ao poder, Getúlio e Plínio, junto com seus seguidores, teriam, sem dúvida, seu fim num *paredón*. Se Plínio Salgado viesse a ser o escolhido dos deuses, Getúlio, Prestes e suas frentes de adesão seriam os liquidados na tortura. Sem piedade, Getúlio Vargas, ao vencer, dizimou Prestes e Plínio Salgado dentro da mesma visão radical.

Getúlio era um caudilho, mas a ele se deve, de saída, o voto feminino. Num contraste político e ideológico, é a ele e ao seu Estado Novo, quando o Congresso foi fechado pelo próprio Vargas, que o trabalhador brasileiro deve um primeiro e duradouro organismo oficial de atendimento social, até então impensável e terminantemente inaceitável. Meu pai, dou como exemplo, era funcionário de uma grande empresa, a Light, mas não tinha ganho social-trabalhista algum. Não tinha folga remunerada, nem férias, nem hora extra, nenhum atendimento na área da saúde. E muito menos seus familiares. Não havendo aposentadoria, o brasileiro trabalhava até se exaurir. Não existia salário mínimo. Viúvas ficavam em total desamparo. Crianças de doze, treze anos eram aceitas nas oficinas como "aprendizes". Foi só nessa década que, tendo como origem a Carta del Lavoro do fascista Benito Mussolini, nasceu o atendimento social contra tudo ou a favor de todos no nosso país. Passaram a valer leis fundamentais como a bendita jornada de oito horas, folga semanal, férias, montepio para viúvas e órfãos, aposentadoria, a proibição de demitir um empregado com dez anos de casa.

Como sempre, a elite empresarial-industrial gritava que tais medidas seriam a ruína econômica do Brasil.

Quando institucionalizaram o salário mínimo, o país ia falir! Eu senti na pele a emoção dessas crises. E, passados tantos anos, me pergunto onde estaria o trabalhador brasileiro se o amparo social não tivesse sido alcançado naquele período fascista-getulista. Em casa, Getúlio era tido como o homem certo no lugar certo. Aliás, na casa de qualquer trabalhador da época e — por que não? — de hoje.

Democracia exige um Congresso funcionando e coexistindo nas diversas correntes políticas e ideológicas. Isso é o absolutamente certo, mas estávamos naqueles assustadores e violentos anos 1930, quando o poder político completamente reacionário diante de qualquer atendimento social, chamado "café com leite" — café de São Paulo e leite de Minas —, era ainda um sistema quase escravagista.

Neste nosso país, queiramos ou não, foi também com Vargas que o atendimento educacional-cultural nasceu e foi cumprido com qualidade e disciplina. Tudo que tínhamos até essa época, tanto na educação quanto na cultura, eram as sobras do Império.

Foi Vargas que criou o Ministério da Educação e Saúde, a Universidade do Brasil, a PUC do Rio de Janeiro, o Serviço Técnico Profissionalizante, o importantíssimo Departamento Nacional de Saúde, e organizaram-se os museus, o Instituto Nacional do Livro, o Patrimônio Histórico Nacional. No setor da comunicação, inaugurou-se a Rádio MEC, canal cedido ao Ministério pela generosidade e visão educacional de Roquette-Pinto. Nessa rádio, anos mais tarde, eu iniciaria a minha vida profissional.

Ao lado do ministro Gustavo Capanema, servindo a um governo fascista, esquizofrenicamente, estavam Carlos Drummond de Andrade, Rodrigo Melo Franco de Andrade, Cândido Portinari, Mário de Andrade, Afonso Arinos de Melo Franco, Cecília Meireles, Manuel Bandeira, Heitor Villa-Lobos e outros intelectuais de esquerda.

Reconheço, sim, dada a minha condição modesta e a de minha família, tudo que recebemos do atendimento social e educacional da era Vargas. Lembro de mamãe, já nos seus oitenta e tantos anos, um dia, diante da televisão em que Fernando Henrique Cardoso defendia uma reavaliação da lei de atendimento social do Getúlio, desafiar, com o seu preservado humor: "Quero ver!". Creio que hoje, perante o governo Bolsonaro, ela faria um desafio mais violento.

Por outro lado, num espanto desmedido ante os fatos e a história, destaco, com horror, os anos sinistros de crimes políticos e ideológicos do governo getulista. Como símbolo da trágica vitória política de Vargas, registro o envio de Olga Benário, companheira de Luís Carlos Prestes, grávida de Anita Leocádia Prestes, para a Alemanha nazista, onde Hitler a matou numa câmara de gás. Ao vencedor: os cadáveres.

Silenciosamente eu observava com olhos de pré-adolescente essa contradição social, política, ideológica. Na minha cabeça, tudo era um caos. A adolescência barulhenta, contestadora e claramente reivindicadora só apareceria com a Revolução Cultural da década de 1960. Nos meus verdes anos, passava-se da infância direto para a vida adulta. Pelo menos na minha classe social ou na cultura emocional e comportamental da minha família.

Na crônica do meu dia a dia, aos onze anos fui me juntar a meus pais em São Cristóvão, que na época passava por transformação violenta de bairro imperial, aristocrata, para zona industrial. A nossa mudança se devia à proximidade entre esse bairro e o local de trabalho do meu pai. Eu já estava no quarto ano e fui terminar o primário no Colégio Nilo Peçanha, na Quinta da Boa Vista — que frequentávamos, e muito —, onde reinava o glorioso Museu Nacional — palácio de duzentos anos destruído em 2018 por um incêndio, resultado do abandono criminoso por parte dos governos federal, estadual e municipal.

Eu tinha a timidez e a modéstia de quem cresceu num ambiente de gente discreta, com uma vida muito resguardada. Nunca sem o humor realista que invariavelmente construiu ou destruiu as nossas crises. Lembro de minha mãe, com sua jovialidade grave, direta e companheira de vida, dizer, quando menstruei pela primeira vez: "Você agora é uma mocinha. Trata de sentar direito e de pernas fechadas".

Éramos três irmãs muito ligadas e defendidas. Isso resultava, talvez, da lembrança, sempre presente, de uma imigração tão desprotegida. Havia, nessa privacidade, uma desconfiança, até prova em contrário, que nos fazia ir só até certo ponto no convívio, no contato com estranhos. Do portão para fora, tínhamos nossas amiguinhas da vizinhança, com quem pulávamos corda, amarelinha, brincávamos de roda e conversávamos com muita alegria e descontração. O mesmo com nossas colegas de escola, mas nunca nos foi permitido dormir na casa de coleguinhas nem que coleguinhas dormissem em nossa casa. Essa clausura me contaminou e, penso, vive em mim até hoje. Talvez o recolhimento se devesse também ao fato de sermos uma fechada família comunal de mulheres fortes e presentes. Dos nove filhos de minha avó sobreviveram duas mulheres. Mamãe teve três filhas, e havia as tias, as tias-avós, as primas, as sobrinhas.

Sob o nosso teto, meu pai era o provedor e minha mãe, a administradora. A base da sobrevivência era o trabalho. Mais que o trabalho, "o ofício", o sentimento medieval do ofício, do aprendiz: passar por um noviciado até alcançar a plenitude de uma profissão específica. Sem demagogia, sei que a sacralidade de um ofício me impregnou. Coincidentemente, no meu viver futuro, para a harmonia geral, encontrei em Fernando, meu companheiro de toda a vida, a mesma e inarredável vocação.

No abecedário social de hoje, com que letra as estatísticas trabalhistas nos designariam? Classe B, C, D, E, F, Z? O salário de meu pai era pequeno? Era médio? Não sei definir em relação ao que se paga hoje a um operário técnico especializado. Sempre tivemos uma mesa digna e suficiente. Era uma vivência sem excesso. Nos últimos governos deste país, há uma estranha anomalia: salários baixíssimos pagam Imposto de Renda. Que renda? Como justificar tal tributação criminosa? Porque esses governos *todos* jamais compensaram ou devolveram verdadeiramente, honestamente, humanitariamente esse insulto tributário, atendendo, em definitivo, para todo o sempre, o saneamento básico, a saúde, a educação, o transporte, a cultura. O que eu tenho muito claro é que meu pai foi um trabalhador brasileiro exemplar e, com extrema competência, chefiou durante anos as oficinas de modelagem industrial da empresa que ele servia, localizada na área dos Gasômetros. Sem maiores recompensas. Ao chegar ao comando do setor, sua primeira atitude foi reivindicar a contratação de negros como operários da companhia, até aquele momento impensável para a empresa. Graças a meu pai, esse preconceito inaceitável foi derrubado. Isso é um fato.

Quando veio a guerra, muitos dos engenheiros ingleses e canadenses que trabalhavam na organização foram embora e os que ficaram precisavam mais do que nunca de "oficiais" como meu pai. Durante um período em que esteve seriamente doente, armaram um lugar, na oficina, com cama, enfermagem, para que ele pudesse supervisionar a produção que lhe cabia. Mandavam buscar lá em casa, já em São Cristóvão, os alimentos da sua dieta. Era um homem fundamental naquela grande estrutura, cercado de alguma pompa na ocasião mas sem receber nenhuma compensação salarial à altura da sua responsabilidade. E do seu talento.

No que diz respeito a mim, na pré-adolescência lidei com o que considero uma das fases mais difíceis, mais traumáticas, pelas quais passei. Terminado meu primário de cinco anos, comecei a frequentar o que se chamava, na época, o ginásio — hoje ensino médio. Tínhamos aulas de dez ou mais matérias. Para cada uma, um professor diferente. Introdução ao latim e, em seguida, à álgebra. Eu não dava conta da tal diferença no trato quer da aula quer do volume das lições a serem feitas em casa. Não tinha vida para mim. Não conseguia concluir a missão diária. Não dormia. Vivi uma depressão. Eu me sentia falida. Humilhada. Incapacitada.

Meus pais entenderam e não me forçaram. Inclusive aceitaram que eu fosse buscar outro tipo de formação. Eles não ambicionavam ou exigiam para mim e para minhas irmãs estudos de dimensão universitária. Longe disso. Talvez a não pretensão catedrática tenha sido a minha salvação naquele contexto. Existe na classe trabalhadora uma "visão congênita" de liberdade e superação a ser alcançada. Essa visão vive em mim até hoje. Digo isso, aqui, em memória aos meus pais.

Entrei, então, no curso de secretariado da Escola Berlitz, que compreendia: português, inglês, francês, datilografia, estenografia e correspondência comercial nas três línguas. Curso de quatro anos. Quando me formasse, poderia trabalhar como secretária numa firma ou, quem sabe, como aeromoça, a mais moderna das carreiras femininas da época. Poderia também dar aulas básicas de português para estrangeiros, na própria Berlitz, o que fiz. Essa oportunidade me abriu um convívio direto com estrangeiros de muitas origens. Principalmente com os tantos americanos naquele pós-guerra. Dei aulas a um bom número de veteranos de guerra. A propósito, numa aula ouvi — indignada — de um deles o quanto ele lamentava o fato de o Brasil Central ainda não ter sido explorado. Essa terra tinha que ser dada aos americanos. Eles fariam dela uma nova Califórnia. Pois o que seria o paraíso californiano se tivesse continuado nas mãos daqueles mexicanos preguiçosos? Eu me senti agredida.

Eram muitas as frases absurdas que eu ouvia. Um ex-oficial da RAF, por exemplo, explicou que só havia um exército à altura dos soldados da Inglaterra: o exército alemão. Daí a honra e a glória da vitória inglesa sobre os alemães. Ele ignorava a luta mundial contra o nazismo.

Gostava da minha função na Berlitz. Exercitava o meu inglês e o meu francês. Entre os descontraídos, tive como aluna uma senhora gorda, americana, que logo me perguntou qual era a tradução de *ass*. Respondi: "Bunda" — numa tradução amena. A mulher se pôs a gargalhar tanto que quase caiu da cadeira. E repetia: "Bunda! Bunda! Bunda!", tomada pela sonoridade da palavra. Desde então, assim que nos cumprimentávamos no início da aula, ela sempre dizia, rindo: "Bunda! Bunda!".

Era esse o meu universo, ainda estudante, nos meus quinze anos, quando ouvi o seguinte anúncio durante uma programação da Rádio MEC: "Você, que é estudante, venha participar do *Radioteatro da Mocidade*!".

Costumávamos ouvir a Rádio Nacional e a Rádio MEC. A Nacional era uma potência. Com suas novelas e seus programas de auditório, que algumas vezes frequentamos, equivalia ao que é hoje a TV Globo. A Rádio MEC, além de ser uma emissora de extremo prestígio cultural, com programas de música clássica e de divulgação educacional, tinha uma atração irresistível para os italianos: óperas, operetas, canções, música folclórica. Tito Schipa, Beniamino Gigli, Claudia Muzio, Lily Pons, Tino Rossi, Titta Ruffo, Amelita Galli-Curci, Bidu Sayão. Do repertório folclórico lembro de Stelinha Egg e Waldemar Henriques. Seu slogan era: "Pela cultura dos que vivem em nossa terra, pelo progresso do Brasil", frase criada por Roquette-Pinto, considerado o pai da radiodifusão no país.

O rádio era o mais poderoso meio de comunicação da época, e parecia que seu poder duraria para sempre. Com tal visão, a emissora pretendia formar jovens que fossem, no futuro, instrumentos preparados para uma rádio cultural.

Num impulso, até mesmo para mim surpreendente, criei coragem e procurei a sede dessa estação, em frente ao Campo de Santana. Fui sozinha. Não era um prédio grande. Nos dois primeiros andares ficava o Instituto Nacional de Cinema Educativo. A Rádio MEC ocupava os dois últimos, as redações embaixo e os estúdios em cima. Preenchi um formulário e voltei para casa — achei que não fosse acontecer nada. Dois meses depois, recebi um telegrama solicitando que me apresentasse na rádio. Lá, pediram-me que lesse um poeminha — nem me lembro mais qual era — e me aprovaram. Percebi espanto em meus pais, mas certamente duvidaram que aquilo daria em alguma coisa, porque o melhor que poderia estar nos meus anseios, como jovem daquele tempo, era casar, e tudo se ordenaria no devido eixo. Não houve sequer proibição da parte deles.

Hoje, sei que fui atraída a esse teste pela possibilidade de chegar a algo imponderável — essa é a palavra — que transcendesse o "apenas fazer". Na minha sensibilidade, eu já intuía que, como mulher, precisava me acalmar numa profissão que deveria ser votiva. E livre. Buscar um mundo absolutamente sensitivo.

O primeiro programa do qual participei foi um melodrama sobre a Revolução Farroupilha e seus heróis, entre eles Bento Gonçalves, Garibaldi e Anita Garibaldi. Lembro da voz do locutor: "O *Radioteatro da Mocidade* apresenta *Sinhá moça chorou*". Aí entrava a sonoplastia e nós, com o texto na mão, lendo, chorando, gritando... Como acontecera lá atrás quando, aos oito anos, interpretei o menino sargento no teatrinho da igreja, não fiquei nervosa, não tremi. Senti que fui bem. Em nenhum momento me vi estranha àquilo. O texto lido era uma adaptação da peça de Ernani Fornari, autor gaúcho bastante conhecido na época. Eu fiz o papel de uma mocinha que amou Garibaldi — era Manuela, não Anita. Não cheguei a tanto.

Essa coincidência — o amor por esse herói — talvez explique a aceitação subliminar, por parte da minha família, da busca de uma adolescente de quinze anos por um meio de expressão, um trabalho, totalmente fora de sua herança social: tratava-se — imagina — de uma história com Garibaldi! Manuela amava Garibaldi!

Sempre percebi em minha avó uma visão extremamente romântica desse herói. O que mais lhe tocava era a história de quando, depois de muito tempo exilado na América do Sul, ao atravessar um bosque em seu país, o guerreiro ordenou que a tropa parasse e que os soldados se calassem. Um pássaro cantava. Naquele silêncio, o revolucionário Garibaldi, emocionado, ouvia novamente, após tantos anos, o canto de um rouxinol!

Garibaldi é o grande herói popular da unificação da Itália.

É um guerreiro mítico para os sardos, porque o primeiro rei da pátria unificada foi Vítor Emanuel II, rei da Sardenha. Pois é. Dando voz à jovem e doce Manuela, apaixonada por Garibaldi, estava eu, a neta da sarda Maria Francisca Pinna.

Ato

Na Rádio MEC encontrei um organismo cultural de primeira ordem. Dispunha de uma excelente biblioteca e da melhor discoteca do país. Reunia em sua redação e estúdio intelectuais da época, escritores, jornalistas, professores, músicos. Existia ali uma pequena sala de música de câmara onde, durante muito tempo, ensaiou a Orquestra Afro-Brasileira, parte de um grande movimento da cultura negra em que atuaram Abdias do Nascimento e a brilhante atriz Ruth de Sousa. Atraídos pela acústica perfeita do local e pelo excelente piano, concertistas lá se exercitavam.

Para o elenco de radioatores da minha geração que se encontrou naqueles estúdios, havia aula de português, de declamação, noções de logopedia, e não se produzia nenhum programa sem uma preparação objetiva acerca do tema a ser tratado. Além da apurada programação musical, tínhamos informações culturais sobre os grandes escritores, a vida dos notáveis compositores radioteatralizada, locução a respeito da documentação histórica do Brasil, apresentação de textos de obras literárias da qualidade de *Os sertões*, de Euclides da Cunha. Mas o que fazíamos basicamente, na maior parte das vezes, era divulgar a música clássica e suas diversas escolas.

Tive uma emoção enorme quando já aos setenta anos, por um milagre desta minha vida, visitei a casa de Grieg na Noruega. Minha mão tocou aquele piano. Eu me vi uma garota de dezessete, no microfone da rádio, narrando como o compositor vivera, como deixara Bergen e fora para aquele chalé no interior. Imaginem: sair do estúdio de uma rádio cultural — hoje abandonada, destruída — em frente ao Campo de Santana e se achar, tanto tempo depois, na Noruega e dentro da casa de Grieg, um artista tão sensível, tão amado.

Na Rádio MEC, por quase dez anos, fui uma aprendiz atenta a tudo que havia de importante na infraestrutura cultural da sua programação.

Como locutora oficial, participei dos concertos da Orquestra Sinfônica Brasileira retransmitidos pela rádio aos domingos: *Música para a Juventude*, com regência do jovem maestro Eleazar de Carvalho. As apresentações eram feitas no Cine Rex, cuja plateia de mais de mil lugares nunca deixou de estar lotada. Como radioatriz, participei, durante anos, de um programa infantil-cultural de d. Geni Marcondes, uma musicista conceituadíssima.

A extraordinária pianista Magdalena Tagliaferro, de absoluto prestígio internacional, dava anualmente ciclos de altos estudos interpretativos que a emissora retransmitia, comigo na locução. Embora eu não tocasse nenhum instrumento, assistir

Meus bisavós Francisco Pinna e Rosa-Joana Piras Pinna. Em 1897, eles deixaram a aldeia sarda de Bonarcado e vieram oficialmente, como imigrantes, para o Brasil.

Meus avós Maria Francisca Pinna Nieddu e Pedro Nieddu, recém-casados, em Passagem de Mariana (MG).

Raízes portuguesas: minha tia-avó paterna, Lucrécia Esteves Martins, com o marido e o filho. Meu pai descendia de lavradores trasmontanos. Esta é a única foto que me restou dos parentes dele.

Meu tio-avô José Pinna, irmão mais velho de minha avó materna, muito importante na minha história. Aqui aparece com seus filhos Virtuosa (à esq.), José e Lydia, em Belo Horizonte.

Maria Francisca Pinna Nieddu e Pedro Nieddu, meus avós

Minha avó passou a se chamar Maria Francisca Pinna del Cocco ao se unir em segundas núpcias com o também italiano Camillo. À dir., minha mãe, Carmen Nieddu, aos catorze anos.

Minha avó Maria Francisca, já mais idosa.

Carmen Nieddu Pinheiro da Silva, minha mãe.

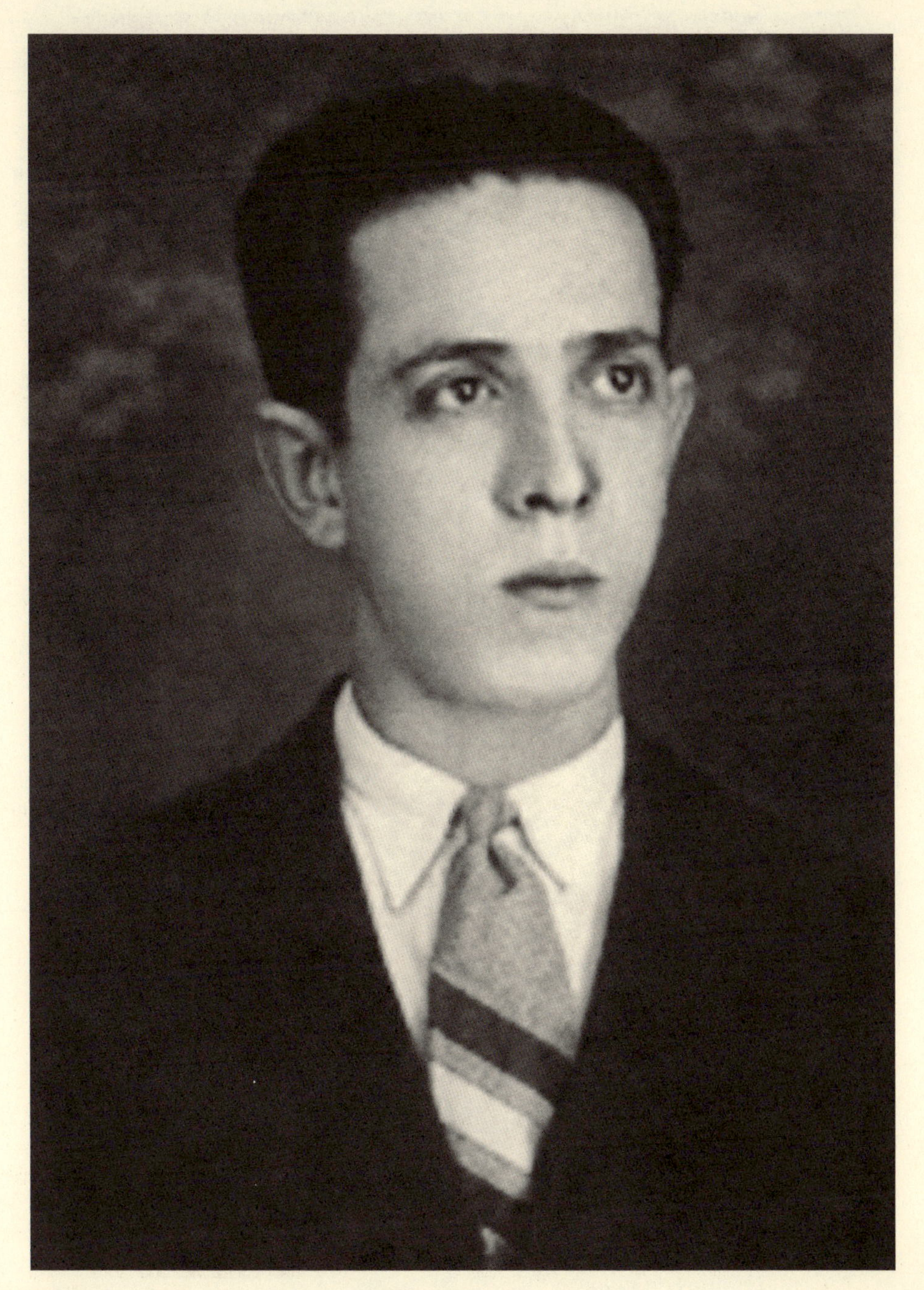

Victorino Pinheiro Esteves da Silva, meu pai.

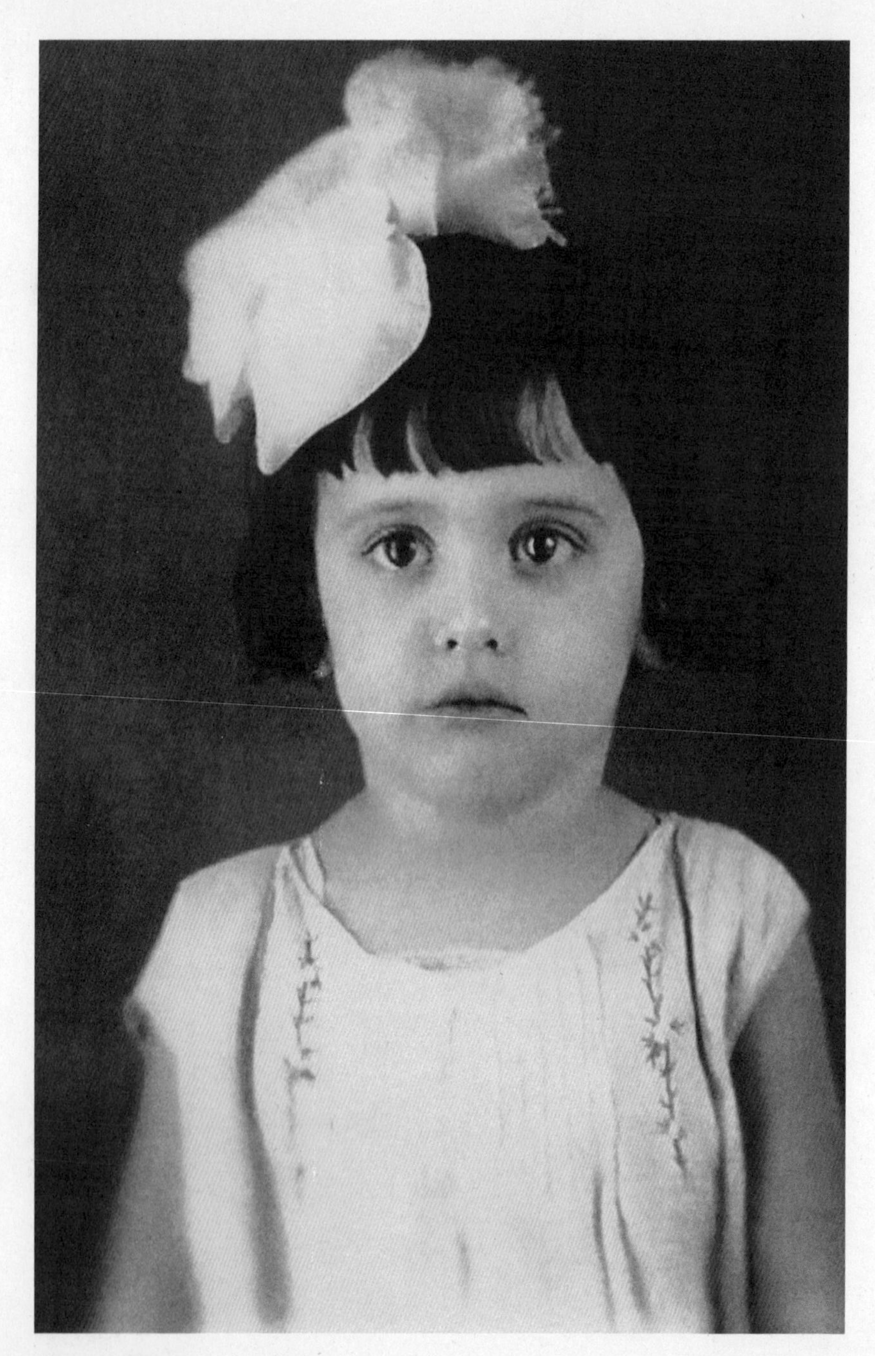

Eu aos três anos de idade.

Minha avó foi a grande companheira da minha infância. Nesta foto eu tinha cinco anos.

Minha tia Valentina Nieddu.

Meu primo Pedrinho, quase um irmão, ao lado de quem cresci.

Aos dezenove anos com minhas irmãs Áurea (14), à esq., e Aída (16). Nessa época, eu já trabalhava na Rádio MEC, com o nome artístico de Arlette Pinheiro.

Minha irmã Áurea e eu na Cinelândia.

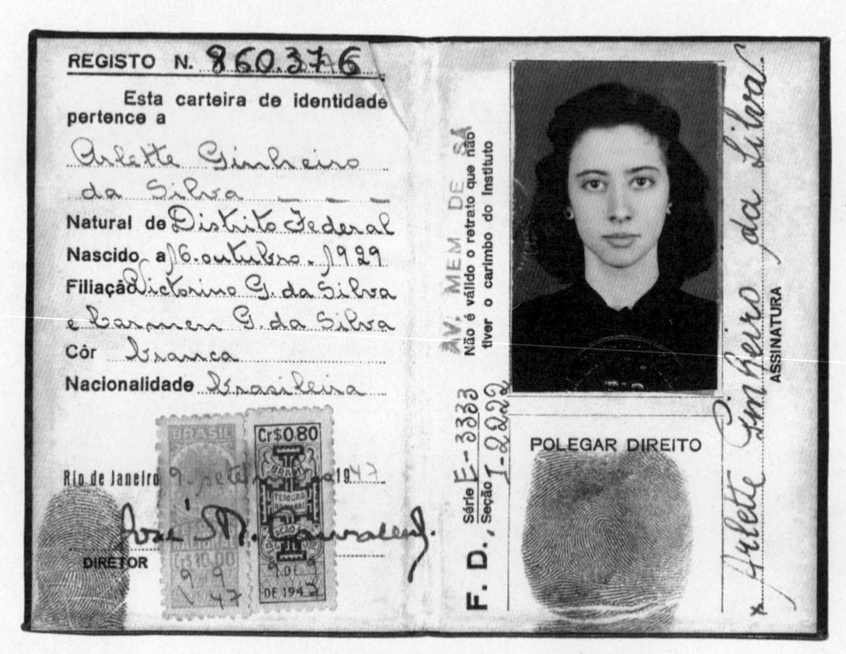
REGISTO N. 860.376

Esta carteira de identidade pertence a

Arlette Pinheiro da Silva

Natural de Distrito Federal

Nascido a 16 outubro 1929

Filiação Victorino G. da Silva e Carmen G. da Silva

Côr branca

Nacionalidade brasileira

Rio de Janeiro 9 setembro 1947

DIRETOR

AV. MEM DE SÁ

Não é válido o retrato que não tiver o carimbo do Instituto

F. D., Série E-3333 Seção I-2222

POLEGAR DIREITO

ASSINATURA

Arlette Pinheiro da Silva

Minha primeira carteira de identidade, aos dezoito anos.

Na Cinelândia, com uma aluna estrangeira da Escola Berlitz.

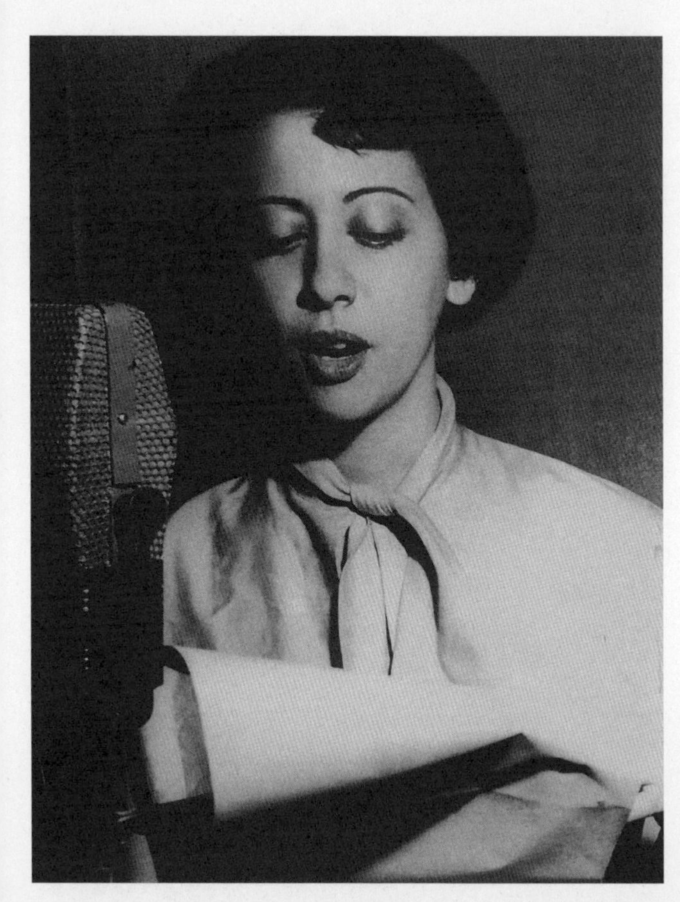

Aos quinze anos, ingressei na Rádio MEC para me formar como radialista, redatora, locutora e radioatriz.

Esta é a primeira carta que enviei a Fernando, em julho de 1950. Começaríamos a namorar naquele mesmo ano, durante os ensaios de *Alegres canções na montanha*, no Teatro Copacabana.

Rio, 1º de Julho de 1950.

Fernando,

Recebi seu cartão e lhe agradeço. Eu já estava me habituando com a nossa conversa das terças-feiras e senti falta de você quando você deixou de vir a rádio. Sabia que ainda não tinha ido para a França, pois não havia tempo suficiente; conclui que você não viria mais, ou então, só quando Alfredo o chamasse. E hoje, terça-feira, ao receber seu cartão, fiquei contente; não só pelo cartão, mas, por saber que nem sempre os outros nos esquecem.

Felicidades na sua filmagem.

Fernanda

Em 1953, com Fernando Torres (à esq.), Henriette Morineau e João Ceschiatti, diretor do Teatro do Estudante de Minas Gerais. Madame, como a chamávamos, me dirigiu em *Mulheres feias*, minha estreia definitiva no teatro.

Fernando deixou a faculdade de medicina para se dedicar de corpo e alma ao teatro.

Quando nos casamos, em 1953, o vestido de noiva foi presente de Eva Todor, em cuja companhia teatral Fernando trabalhava.

Sérgio Brito, eu e Ítalo Rossi em *Mirandolina*, de Goldoni. Direção de Gianni Ratto. Produção do Teatro dos Sete.

O ator e diretor polonês Zbigniew Ziembinski me retratou em *A volta ao lar*. Foi a única peça em que atuei ao lado desse homem a quem o teatro brasileiro deve tanto.

Nos anos 1950-60, atuei em mais de trezentas peças no *Grande Teatro Tupi*. Aqui apareço em *Diálogo das carmelitas*, de Bernanos, com Theresa Austregésilo (à dir.) e Camilla Amado.

àquelas aulas me descortinou o campo enorme de sensibilização que existe numa interpretação. As aulas de Tagliaferro, didatizando de viva voz a "dramaturgia sonora" de cada peça executada, me despertaram para o enfrentamento que uma execução exige de um intérprete não só na música, mas no teatro, na pintura, na dança, na vida mesma. Uma porta imensa se abriu diante de mim.

Terminada a guerra, com a França livre da experiência terrível que foi a ocupação alemã e pelo fato de nossa cultura ainda receber forte influência francesa, produziu-se o programa que era apresentado por mim, *Franceses, Nós Cremos em Vós*, e tinha como temática a literatura e a música daquele país. Além disso, aos domingos havia o *Douce France*, de repertório popular — Édith Piaf, Charles Trenet, Mouloudji, Yves Montand, Jacques Brel, Juliette Gréco... Quando veio ao Brasil com a companhia de Jean-Louis Barrault, Pierre Bertin, o grande ator francês, foi ao programa. Cantou canções acompanhando-se ao piano. Juliette Gréco também participou do *Douce France* quando visitou o Rio. Apresentei-a, acompanhada pelo pianista Sacha, famoso na noite de Copacabana, dono da boate Sacha's. Ela cantou canções de Jacques Prévert e Joseph Kosma. Embora Gréco fosse a musa daqueles existencialistas das caves de Paris e sempre vestisse preto dos pés à cabeça, no nosso programa ela, muito jovem, linda, apareceu de branco. O que me decepcionou. Eu me senti traída.

Apresentei também, durante anos, programas sobre o expressivo movimento teatral então existente. Os criadores e responsáveis pela redação e direção eram Alfredo Souto de Almeida e Maria Inês Barros de Almeida, uma escritora e crítica teatral a quem me liguei por setenta anos numa amizade profunda, irmanada. Ela e Alfredo estarão sempre na minha memória. Devem-se a ele centenas de gravações com as mais importantes personalidades culturais que passaram pelo Rio de Janeiro: Jean-Louis Barrault, Roger Planchon, Jean Vilar, os italianos do Piccolo Teatro de Milão, Vittorio Gassman, além de dezenas e dezenas de entrevistas com os maiores nomes do teatro brasileiro e com artistas estrangeiros que aqui estiveram. Essas gravações ainda existem. No início da década de 1950, Fernando Torres produziu e apresentou, na mesma emissora, *Falando de Cinema*, com críticas e entrevistas. Eu o acompanhava na locução do programa.

Naqueles meus dezessete, dezoito anos, o supervisor e orientador do radioteatro da Rádio MEC era o respeitado jornalista Edmundo Lys, famoso crítico de cinema e criador dos bonequinhos que até hoje definem, no jornal *O Globo*, a indicação dos filmes. Foi a primeira pessoa que me sugeriu, entusiasmado, ler Thomas Mann. Comecei com *Os Buddenbrook*. Daí em diante, passei a devorar toda literatura que me caísse nas mãos. No convívio entre amigos e colegas, era obrigatório e desafiador ler os autores que estivessem na ordem do dia: Aldous Huxley, Roger Martin du Gard, Fitzgerald, Hemingway, Gide, Thomas Mann — fundamental na época enfrentar, e de uma maneira religiosa, *A montanha mágica*. Simone de Beauvoir, Jean Cocteau, Eugene O'Neill. Ao menos o teatro de Sartre e de Camus. E ainda outros mais.

A partir do quinto ano na rádio, comecei a produzir, adaptar e apresentar o programa *Passeio Literário*, com informações gerais sobre literatura, notícias de lançamentos, entrevistas, e adaptações de romances, contos ou novelas para o radioteatro da emissora. Arlette Pinheiro era meu nome de locutora e radioatriz. Como redatora, passei a assinar Fernanda Montenegro — com certo humor. Eu achava que "Fernanda" tinha um clima de romance do século XIX — existiam muitas Raymondes e Fernandes naquelas histórias. E Montenegro era o nome de quem sempre ouvi falar. Um médico de subúrbio que nos velhos tempos atendeu nossa família durante anos, curando a todos e, segundo (claro) minha avó, milagrosamente. Nos relatos de casa, alguém estava morrendo e o dr. Montenegro chegava, receitava e qualquer doença desaparecia.

Fernanda Montenegro ganhou o lugar de meu nome artístico. Aos poucos, Arlette voltou para o seu fechado universo familiar. Mais um toque esquizofrênico deste meu viver.

Em 1948, o empresário Darke de Matos comprou a Rádio Guanabara e convidou a direção da Rádio MEC, na pessoa de Sérgio Vasconcelos, para gerir sua emissora. Seguiram com ele Alfredo Souto de Almeida, como diretor de radioteatro, Maria Inês Barros de Almeida, como autora e redatora, e mais um pequeno grupo de radioatores do qual eu fazia parte. Como foi necessário arregimentar outros profissionais, criaram um concurso. Eu participei e fui aprovada ao lado de nada menos que Silvio Santos e Chico Anysio. Se tínhamos dezessete, dezoito anos, era muito. Com Chico Anysio trabalhei na rádio durante dois anos. Nessa época, tive também como colegas Grande Otelo, o comediante Chocolate e, entre tantos, a grande Elizeth Cardoso. Todos nós nos apresentávamos nos programas de auditório.

Além das minhas tarefas na Rádio MEC, das aulas na Berlitz e do curso noturno para o exame de madureza, passei a trabalhar na Rádio Guanabara. E essa agenda maluca não me impedia de sair com minhas irmãs e ir muito a cinemas e teatros. Assistíamos a todos os surpreendentes filmes franceses, ingleses e italianos do pós-guerra que chegavam até nós. Nos teatros da Cinelândia, víamos Procópio, Dulcina, Bibi Ferreira, Alda Garrido, Cazarré, Eva Todor, Jaime Costa. E o Teatro do Estudante. A Cinelândia era o centro efervescente da intelectualidade jovem — e também da não tão jovem — com seus teatros, cinemas, livrarias, bares e restaurantes, como o Vermelhinho, em frente à ABI, assim chamado porque era frequentado pela esquerda, pelos comunistas. O mesmo acontecia com o Amarelinho, que não era tão exclusivo, ao lado do Theatro Municipal e da Câmara.

Assistíamos às revistas da praça Tiradentes, com Oscarito, Grande Otelo, Mesquitinha, a portuguesa Beatriz Costa, Virgínia Lane, Mara Rúbia. Ainda eram essas revistas que lançavam as marchinhas e os sambas de Carnaval na época. Não se sabe como, nem por quê, minhas irmãs e eu adorávamos música espanhola. Naquele tempo vinham companhias de música flamenca e se apresentavam na tradicional praça. Nomes famosos da dança: Maria Antinea, Carmen Amaya. Também ouvíamos a Rádio Jornal do Brasil, que, aos domingos, na hora do almoço, oferecia uma programação memorável de música espanhola. Amávamos as castanholas.

Foi numa grande confeitaria da Cinelândia, a qual apelidamos de "Confeitaria Americana", que eu experimentei coca-cola, bebida que me pareceu um horrível chá de jurubeba, e a já célebre banana split, que achei enjoativa pelo tamanho e pelo adocicado. Durante a guerra, a influência americana foi se infiltrando entre nós, mas a cultura europeia continuava muito presente. O francês seguia obrigatório no ensino secundário, e ainda reinava como o idioma da intelectualidade e da elite brasileira. A avalanche americana nos atingiu no fim da Segunda Guerra. Foi uma lavagem cerebral, pois, deste lado do planeta, os americanos se transformaram nos heróis absolutos da vitória sobre Hitler. Vivíamos um momento de muito otimismo — o mundo ia dar certo. O Brasil ia dar certo. Diante das eleições, Getúlio fora praticamente forçado a se recolher, prisioneiros políticos foram libertados, exilados voltaram. Existíamos, finalmente, numa democracia. Era preciso acreditar que o Bem tinha vencido o Mal e que o mundo ia dar certo mesmo com suas contradições — o capitalismo e o comunismo, embora se espreitando, intensamente, chegariam a um consenso. E Frank Sinatra, para glória geral da moçada, venceu Bing Crosby, inaugurando a histérica gritaria que a partir de então se tornou popular na presença de qualquer cantor.

Ainda na década de 1940, vi a presença poderosa do teatro amador em todas as classes sociais. Notadamente na elite intelectual e social do Rio, de São Paulo, de Recife. Já existia o Teatro do Estudante do Brasil (TEB), criado em 1938 por Pascoal Carlos Magno. Logo vieram o Teatro Universitário do Rio de Janeiro, dirigido por Jerusa Camões, e o Teatro do Estudante de Pernambuco, em Recife, com Hermilo Borba Filho e Ariano Suassuna.

O grupo amador pioneiro foi Os Comediantes, fundado em 1938, responsável pela histórica montagem de *Vestido de noiva*, em 1943, com direção de Zbigniew Ziembinski, ator e diretor polonês recém-chegado ao Brasil, consagrando Nelson Rodrigues como autor. Todo esse desejo de renovação foi beneficiado na linguagem cênica com a vinda ao país de jovens diretores-encenadores europeus expulsos pela guerra, pela destruição do continente. Ressalto a criação, em 1941, em Recife, do Teatro de Amadores de Pernambuco, com Valdemar de Oliveira à frente, e em São Paulo, em 1942, do Grupo de Teatro Experimental (GTE), raiz do Teatro Brasileiro de Comédia, o TBC, profissionalizado em 1948, sob a direção artística de Adolfo Celi, tendo como mecenas o industrial Franco Zampari. Ainda em São Paulo, destaco, com veneração, a figura de Alfredo Mesquita, fundador do GTE e da Escola de Arte Dramática (EAD). Através dos anos, entre centenas de nomes de ex-alunos, lembro alguns de imenso talento como Aracy Balabanian, Vera Holtz, Lilia Cabral, Ney Latorraca, Edson Celulari, Francisco Cuoco, Juca de Oliveira, Cristina Pereira, Eliane Giardini, Paulo Betti, Leo Villar, Nelson Xavier, Myriam Muniz, Yara Amaral, Matheus Nachtergaele, Zanoni Ferrite, o diretor Celso Nunes, o jornalista e crítico teatral Jefferson Del Rios. Hoje, a EAD é uma unidade complementar da USP.

Alfredo Mesquita e Pascoal Carlos Magno, cada um a seu modo, revolucionaram o nosso teatro no que diz respeito, antes de mais nada, ao preparo e à consciência vocacional e intelectual do ator. Pascoal Carlos Magno, como diplomata, viveu anos na Inglaterra. Ao voltar, na segunda metade dos anos 1930, deu início a um movimento teatral que atraiu uma juventude universitária. Em 1938, criou o TEB e, corajosamente, realizou um repertório ambicioso: Shakespeare, Sófocles, Eurípides, Ibsen, Martins Pena, Gil Vicente. Em sua casa, fundou o Teatro Duse, espaço onde se apresentavam os formandos do seu curso de arte dramática. Ainda sob sua influência, nasceu o Teatro Universitário, de onde saíram Nathalia Timberg, Jaime Barcelos e Fernando Torres.

A presença teatral amadora se estendia às agremiações, às faculdades e mesmo a alguns lugares públicos. Lembro de Pascoal Carlos Magno, numa audácia mística, realizar uma turnê pelo rio São Francisco numa barcaça, apresentando espetáculos de teatro, música, dança às populações ribeirinhas.

A contaminação da produção cultural, teatral, alcançou de festas de formatura de ginasianos até universidades. Eu mesma, aos dezesseis anos, tive minha segunda experiência teatral graças ao convite de uma colega da Rádio MEC que se diplomava em direito. Fiz parte do elenco da peça *Nossa Natasha*, de Alejandro Casona, montada pelos formandos daquele ano.

Foi uma época não só de contestação cênica, mas de repertório desafiador, ambicionando trazer para a nossa plateia um novo tempo. Essa modernidade alimentou um desprestígio à herança do jogo cênico dos comediantes brasileiros, que, na sua maioria, se formavam por si mesmos, que nasciam de uma vivência do nosso humor, do nosso improviso, existindo do jeito possível, sempre o ator no centro do palco e só ele, o ator. Esses comediantes arrastavam multidões. Eram atores excepcionais: Procópio, Jaime Costa, Alda Garrido, Cazarré, Eva Todor. De certa maneira, a própria Dulcina, a extraordinária Bibi Ferreira, que, embora de sólida formação intelectual, jamais renegou tal tradição. Até a chegada da década de 1950, para mim, como espectadora, os cariocas comuns, os brasileiros comuns que passavam pelo Rio iam à Cinelândia para se ver em cena. As peças não precisavam ser de Corneille, Montherlant ou Sófocles. Os personagens eram cronísticos: o comendador, o burocrata, a dona da pensão, a dama-galã, o malandro, os jovens apaixonados. Ia-se ver o homem brasileiro na sua crônica de vida, e os atores, com seu humor, com sua verve, com pouco menos ou mais de cultura, davam conta gloriosamente desses momentos, existindo absolutos diante dos seus espectadores. Dou como exemplo o grande Procópio Ferreira — para quem Oswald de Andrade escreveu *O rei da vela*. Ele foi amigo e colaborador de Alfredo Mesquita. Procópio nunca se afastou da herança cênica brasileira. Era único naquele seu humor. Lembro uma atuação dele, numa peça simplória, em que o personagem, na prisão, ouve o alto-falante anunciar a lista dos detentos que passariam a festa natalina com a família, beneficiados por um indulto. Procópio, de sua cela, avaliava, para o público, o caráter dos escolhidos ao escutar os números dos prisioneiros. Procópio só tinha que dizer "merece" e pelo tom desse "merece" conhecia-se plenamente o caráter do preso que estava sendo liberado. "Duzentos e vinte e cinco!", e ele, com voz emocionada: "Merece...". "Duzentos e noventa", e ele, espantado: "Merece?". "Cento e nove", e ele, desconfiado: "Merece?!!!". E assim por dezenas de vezes. O espetáculo dependia só dele e o público ia lá para ouvir os seus geniais "merece".

Ainda alcancei, já idosos, a presença de alguns atores portugueses e também de velhos atores brasileiros com ligeiro sotaque luso, quando representavam os doutores, os ricos, os políticos. Mas, no que me diz respeito como atriz, mesmo "apurada" por diversos encenadores europeus com os quais trabalhei, até hoje tenho em mim, como intérprete, a dinâmica cênica de duas atrizes que continuam com um lugar muito especial na história dos nossos palcos: Dulcina de Morais e Bibi Ferreira. Eu sempre as acompanhei com desvelo.

Tinha nove anos quando ouvi, pela primeira vez, a voz de Bibi Ferreira, na Rádio Mayrink Veiga. Bibi já era notícia não só por demonstrar talento, não só por ser filha de Procópio, mas pelo fato de lhe ter sido negado matricular-se no tradicional Colégio Sion, no Rio, por ser filha de um ator. O que levou o respeitado e cultuado Procópio Ferreira a mandá-la estudar na Inglaterra, afastando-a, com isso, da Escola de Ballet do Theatro Municipal do Rio de Janeiro, do qual ela fazia parte desde bem menina. Quando voltou da Europa, Bibi estreou em 1941, ao lado do pai, na peça *Mirandolina*, de Goldoni, e em 1944, já como atriz-empresária, encenou A *Moreninha*, de Joaquim Manuel de Macedo, em cujo elenco também estavam Cacilda Becker e Maria Della Costa. Depois de ter visto Bibi em cena, passei a sonhar que quando crescesse queria ser Bibi. Atriz sem igual, ela atuava, dirigia, dançava, cantava em diversos idiomas, de uma forma arrebatadora, numa abrangência interpretativa e num total domínio, vocal, corporal, no drama, na comédia, no musical e até mesmo na tragédia, como em *Gota d'água*, de Chico Buarque e Paulo Pontes, baseada na *Medeia*, de Eurípides.

Após 95 anos de vida pública, já que estreou ainda neném de colo, é de uma grande e dolorosa melancolia sua despedida da cena brasileira. E deste nosso mundo. Mesmo ausente, Bibi continua inalcançável. Eterna.

Quanto a Dulcina, que personalidade é mais importante do que ela no cenário teatral brasileiro do século XX? Além de atriz, foi educadora. Sua presença e sua coragem modernizaram os nossos palcos desde os anos 1930. Dulcina dedicou ao teatro tudo que possuía na vida. Devemos a ela, entre tantas conquistas, a extinção da infame carteira da Segurança Pública, expedida pela polícia, que as prostitutas, os tipos marginais e também as atrizes e os atores eram obrigados a portar. Cheguei a possuir uma, no início da minha vida pública, em São Paulo, quando Jânio Quadros a ressuscitou ao se eleger prefeito, em 1953. Mas, diante da grita geral, ele teve que voltar atrás.

No Brasil, devemos a Dulcina, como atriz, uma compreensão profunda do que é o teatro como educação, cultura e civilidade. Filha de atores — Átila e Conchita de Morais —, ao fundar sua companhia com o também ator Odilon Azevedo, seu marido, em 1935, ano da Intentona, convidou para diretor Oduvaldo Viana, um homem declaradamente de esquerda (pai de Viana Filho, ator e autor Vianinha, presença forte do Teatro de Arena em São Paulo nos anos 1950). A direção teatral até aquele momento era um feudo de ensaiadores, na sua maioria, portugueses. Deve-se a Dulcina o definitivo ganho do falar brasileiro em cena, resultado de uma luta que vinha desde João Caetano. Ela aposentou os painéis pintados e introduziu cenários construídos. Como produtora e diretora, passou a iluminar o palco com equipamentos modernos. Odilon e ela viajavam com frequência para os Estados Unidos, para a Europa, e reproduziam aqui os avanços que observavam lá fora. Antes mesmo da revolucionária encenação feita por Ziembinski de *Vestido de noiva*, e sua histórica iluminação, os espetáculos de Dulcina já exibiam uma luz moderna e apurada. Ela possuía aquela capacidade que têm as atrizes de parecerem bonitas ou feias segundo querem. Era um referencial de elegância. As mulheres copiavam seus figurinos quando a peça era contemporânea.

Dizia-se, no meio teatral, que nenhuma atriz que a visse em cena se livraria de sua marca, de seu humor, do seu jogo cênico. Havia nela leveza, inteligência, uma dinâmica sofisticada. Antecipou a presença nos nossos palcos de autores contemporâneos importantes: O'Neill, Bernard Shaw, D'Annunzio, Noël Coward, Lorca, Somerset Maugham. A montagem de *Chuva*, de Somerset Maugham, foi um dos maiores acontecimentos do teatro brasileiro, aqui, em Buenos Aires e em Lisboa.

Com a sua absoluta crença no valor do teatro como arte, profissão, educação e cultura, de tempos em tempos promovia concursos em busca de autores novos, montando a peça vencedora — sempre com seus próprios recursos, o que é inimaginável hoje. Repetia o processo para lançar novos atores e atrizes. Para Dulcina, as gerações tinham que se suceder. Ela não era fechada na decadência do divismo, não se achava uma iluminada, não tinha medo de concorrência, não excluía ninguém por temer que viessem a lhe tomar o lugar. Seu teatro era de inclusão.

Em 1949, promoveu mais um concurso, buscando uma atriz para titular a peça *Sinhá moça chorou*, de Ernani Fornari, a mesma que eu fizera como radioatriz na Rádio MEC. E me inscrevi só para ver no que dava — tinha dezenove para vinte anos. Fui ensaiada por Graça Melo, um ator experiente, importante. Não me lembro quais eram os componentes da comissão julgadora, mas sei que Dulcina estava lá. Não fui classificada — o primeiro lugar foi de Nelly Rodrigues, minha amiga desde a Rádio MEC. Nelly titulou o espetáculo. Casada com Raul Roulien, um ator referencial das décadas de 1920 e 1930, ela se afastaria dos palcos no início dos anos 1950.

Há que se acrescentar à vida de Dulcina, o que a credencia ainda mais, que quando as forças começaram a lhe faltar, ela criou a Fundação Brasileira de Teatro, chamando os maiores nomes do teatro presentes no Rio para o corpo docente: Adolfo Celi, Gianni Ratto, Henriette Morineau, Maria Clara Machado, Cecília Meireles, Ziembinski. Que outro curso de teatro no Brasil teve esses luminares como professores? Formaram-se lá, entre outros atores referenciais, Rubens Correia, Ivan de Albuquerque, Cláudio Correia e Castro, Jacqueline Laurence, Osvaldo Loureiro. A Fundação funcionava no Teatro Dulcina, construído por ela e Odilon com investimentos próprios. Pela história daquele palco, pela efervescência da Fundação, o espaço se transformou no mais importante centro teatral do Rio de Janeiro.

Na época da inauguração de Brasília, o governo distribuiu gratuitamente terrenos numa quadra que deveria concentrar as atividades culturais e recreativas. Dulcina solicitou um espaço. Acreditava misticamente que o futuro do Brasil estava no Planalto. Em 1980, já viúva, lutou para transferir a Fundação para a nova capital. Àquela altura, não lhe restavam mais recursos para erguer outra sede. Passou, então, para o governo federal seu famoso e amplo teatro no Rio de Janeiro e, em troca, o governo construiu para ela um pequeno prédio no tal terreno doado, onde essa grande brasileira inaugurou, além dos locais para os cursos, uma sala de quinhentos lugares (a plateia do Dulcina, no Rio, tinha perto de seiscentas poltronas). A troca, em última análise, não a favoreceu. A Fundação, pela luta da educadora, estendeu aquele espaço às artes em geral, e nessa Faculdade de Artes ela dirigiu um grupo de professores muito qualificados.

Fizemos duas temporadas em seu teatro em Brasília. Nós nos encontrávamos, conversávamos. Num desses encontros, ela me confidenciou uma história comovente. Dulcina e Odilon, já idosos, tinham um pequeno sítio em Nova Friburgo, na serra fluminense. Certa manhã, um vizinho veio buscar Odilon para irem juntos ver uma terra que o amigo pretendia comprar. Os dois saíram a cavalo. Horas depois, alguém ligou dizendo que Odilon falecera. Dulcina não quis vê-lo morto. Foi o que ela me confessou. Cuidou, à distância, do sepultamento. E justificava: "Era um dia lindo. Preferi guardar para sempre Odilon vivo, feliz, numa manhã de sol, atravessando nosso portão".

Ainda na época dos militares, já sem recursos, Dulcina recebeu do governo, não a propriedade, mas o direito de ocupar um pequeno apartamento na quadra da Marinha. Morou lá até que o governo Collor, de uma forma desumana, requisitou o imóvel, alegando que ela não pertencia à Marinha. Dulcina, então, passou a sobreviver na periferia da capital, num modestíssimo apartamento, com uma sobrinha. Com o impeachment de Collor, ela voltou ao apartamento da Marinha, onde faleceu em 1996.

Dulcina de Moraes hoje está praticamente esquecida. Não pelos que a viram, não por nós, que tivemos a sorte de conviver com ela, contar com sua amizade, com seu olhar. Ela terá para sempre a minha reverência. Um aprendizado de vida.

Sua figura, como herança, ressalta na história do teatro brasileiro uma personalidade: João Caetano, que é o criador--símbolo do ator-empresário e a base da nossa cultura teatral. Em 1830, esse ator, pela primeira vez na cena deste país, corajosamente, em protesto, se autoempresou numa luta pelo nosso falar, pela nossa postura, nossa dramaturgia. O que dominava os palcos até então era a presença lusitana. Ainda existia uma imposição cultural de cima para baixo, embora já tivéssemos a nossa Independência.

Esse legado cênico de ator e atriz empresários já se estende por quase duzentos anos, e sempre sobreviveu através de empenhos bancários ou raras e modestas dotações governamentais. A corrupção dos tempos atuais nada tem a ver com o verdadeiro teatro. Nada.

Mesmo quando aconteceu o milagre de um mecenato, como no TBC, continuamos partindo para o nosso próprio espaço. Dou como exemplo Sérgio Cardoso e Nídia Lícia, Tônia Carrero e Paulo Autran, Cacilda Becker e Walmor Chagas. Esses atores referenciais, corajosamente visando independência, abriram mão da segurança que o mecenas Franco Zampari lhes garantia. Viraram as costas ao conforto de um campo artístico e da solidez de um salário.

Nos nossos dias, há um outro tempo. Portanto, vivam os nossos monólogos nas catacumbas! E creio que será por muito, muito tempo. Vi e vivi muito do teatro brasileiro na sua quase pré-história, e ele me impregnou de um destemor cênico do qual, em essência, nunca me afasto. E penso que, por mais contestadora, desafiadora, provocadora que seja uma encenação contemporânea, se não houver atores igualmente criadores dentro desse desafio, desse jogo, o que se soma é uma espécie de "instalação". Artes plásticas.

Tudo que vivenciei nos palcos da minha cidade me fez atriz, atriz brasileira, diria mesmo, carioca. Embora eu tenha sido conscientizada, amadurecida pela presença de alguns referenciais encenadores europeus que vieram para cá e visceralmente a nós se juntaram. Entre tantos, lembro o grande homem de teatro Gianni Ratto, que me dirigiu por dez anos e jamais admitiu que eu me europeizasse.

Em 1947, morre, aos 65 anos, minha avó Maria Francisca Piras Pinna Nieddu. No seu tempo de vida, Maria Francisca sempre foi uma mulher de presença poderosa, central. Após a sua partida toda a organização familiar, tão tribal, teve que se repropor. Ela saiu deste mundo, mas não da minha alma. Um mês após a sua morte, eu completava dezoito anos. Vivi, de luto fechado, a chegada da minha maioridade. Luto absoluto, como ainda a morte exigia na época e como o meu coração ainda se sentiria por muitos e muitos anos. No meu aniversário não houve festa. Só lágrima. Naquela jovem que se tornava adulta já estava, inteira, esta mulher de noventa anos que hoje eu sou.

Minha avó querida, nos meus 75 anos de vida pública, levada pela minha vocação, entregue ao acaso, mal ou bem conduzida, hoje eu tenho o meu lugar na história contemporânea do nosso teatro. Você é parte fundamental da formação desta minha existência tão venturosa. Receba o meu imenso agradecimento pelo que vivemos juntas. E juntas continuamos na minha eterna saudade. Avó tão amada, aprendi com você que, ao dobrar uma esquina, se estamos vivos — num absoluto mistério —, o melhor do que se espera no futuro nos alcança.

Em 1948, o Teatro do Estudante, com direção de Hoffmann Harnisch, encenou *Hamlet*, de Shakespeare, trazendo um jovem recém-formado em direito, Sérgio Cardoso, no papel-título. Era uma montagem amadora, romanticamente descontrolada. No fim do espetáculo, lá estava Sérgio Cardoso, exaurido, exangue, arrebatador. Saía de cena ovacionado. A plateia, em estado de graça, delirava. Assisti a essa encenação dezoito vezes, muitas delas com minha irmã Áurea, de quinze anos, que, quando ouviu o "ser ou não ser", me disse, baixinho: "Irmã, parece a Bíblia".

Ao ver Shakespeare pela primeira vez, não tive volta. No meu futuro, o que eu queria era aquele palco.

Em outubro de 1950, com surpresa, fui convidada a participar da peça *3200 metros de altitude*, de Julien Luchaire, que aqui recebeu o nome *Alegres canções na montanha*, com direção da atriz-diretora portuguesa Esther Leão, especializada em impostação e fonética, bem como em encenações de Shakespeare e de outros autores, estrangeiros e brasileiros. Um de seus alunos foi Carlos Lacerda, polêmico como político mas unanimemente reconhecido como orador. O convite era para uma produção semiamadora, o que significava apresentações esporádicas. No elenco, havia atores profissionais e principiantes. Em casa, acharam que se tratava apenas de uma pequena participação ao lado de alguns colegas da Rádio MEC. O que seria verdade se o acaso não os surpreendesse. E a mim também.

A produtora dessa encenação era a professora e educadora Maria Jacinta, que dez anos antes fora responsável pela encenação do mesmo texto, com Cacilda Becker, que na época vivia no Rio de Janeiro, interpretando exatamente a personagem que eu faria: Zizi, uma das garotas de um grupo que se perdia nas montanhas geladas da Suíça. Como em 1950 o Teatro Brasileiro de Comédia estava no auge e Cacilda já era uma das nossas maiores atrizes, todos me animaram, dizendo que o papel dava sorte.

D. Esther Leão era uma mulher muito branca, muito loira, de olhos pretos como jabuticabas, e sempre usava batom vermelho. Morríamos de medo dela, que ia para o palco e fazia o que os atores deveriam imitar. Caso não obedecessem fielmente a ela, enfurecia-se, dava uivos e gritos que ouvíamos da rua. Mas, para quem estava começando, ela era ótima, porque tinha um sentido de disciplina e o espetáculo se cumpria. Para d. Esther Leão, o mistério da representação resumia-se a uma regra simples: voz na cabeça era para comédia, voz na região palatal era drama, e voz no peito — "paito", como dizia — era tragédia. Ensinava isso e a gente que se virasse.

Sobre ela, corriam histórias fantásticas. Ao ensaiar o elenco de *Romeu e Julieta* no Teatro Universitário, comandado por Jerusa Camões, resolveu botar em cena umas cabrinhas. As cabrinhas, ao se assustarem no palco, desandaram a balir. Ela não teve dúvida: esparadrapou a boca dos bichos, que, devidamente amordaçados, ficaram mudos. O espetáculo seguiu sem problemas.

No elenco de *Alegres canções na montanha* estavam ainda Nicette Bruno, Margarida Rei, Beatriz Segall, Kléber Macedo e Sara Dartus. Entre os atores, reencontrei Fernando Torres, com quem, algumas vezes, já cruzara na Rádio MEC, na Rádio Guanabara e em reuniões de jovens na sempre presente Cinelândia. Nas duas ou três conversas mais longas que tivemos, falamos bastante sobre os nossos projetos de vida. Ele contou que gostava muito de medicina mas que havia deixado a faculdade no terceiro ano. Achava que não era o mundo dele. Já experimentara o palco quando aluno ginasiano do Instituto Rabello e no Teatro Universitário. Dias depois desses poucos encontros, viajou como assistente de direção de um filme que seria rodado em Paraty. Da locação me mandou dois cartões, dizendo que sentia falta de "sua companheira das terças-feiras". Nos ensaios das *Alegres canções na montanha*, começamos um namoro que nos levaria à união de nossas vidas.

Alegres canções na montanha foi um fracasso. Na plateia, quase que exclusivamente familiares dos artistas. Mas eu e Fernando tivemos destaque na crítica especializada, embora nossos papéis fossem mínimos. A crítica favorável, no que me diz respeito, chegou ao conhecimento dos produtores da recém-inaugurada TV Tupi. Estavam formando o elenco pioneiro do teleteatro no Rio. Assis Chateaubriand, o fundador dos Diários Associados, tinha acabado de lançar a TV Tupi de São Paulo. Chamaram-me para gravar um sketch — uma cortina, como se dizia na época, um curta-metragem. Eu gravei, eles gostaram e, quando me chamaram pela segunda vez, já havia um contrato à minha espera. O mesmo não aconteceu com Fernando.

Fui a primeira atriz contratada da TV Tupi do Rio, em janeiro de 1951. Estreei num estúdio localizado num edifício malcuidado, junto ao Cais do Porto, na praça Mauá. A estrutura da emissora cabia num modesto andar do prédio. Pelas vidraças quebradas ouvíamos o apito dos navios que chegavam e partiam, além da buzina dos ônibus e carros.

Tentavam organizar um elenco para um meio de comunicação que ninguém conhecia. O louco do Chateaubriand resolveu trazer para o Brasil essa nova técnica de comunicação, já bem presente nos Estados Unidos. O sistema televisivo foi inaugurado em São Paulo e logo também no Rio. Para tal novidade trouxe, da América, alguns aparelhos e os espalhou em praças de nossas duas capitais, desde que o sinal da emissão alcançasse.

Meus pais, tão longe dessa atividade eletrônica, dita artística, que exigia contrato de três anos junto a uma empresa, não me permitiram assiná-lo. Eu me vi numa encruzilhada, porque nas décadas de 1940, 1950 a profissão de atriz para uma jovem, dita de família, era insólita, constrangedora, marginal. Como ainda é hoje. A profissão de atriz "moralmente não é recomendável".

Meus pais nunca se opuseram à minha escolha em termos desesperados, mas nesse caso a reação, sobretudo a de minha mãe, foi contidamente *apavorada*. Numa visita, uma prima perguntou se era verdade que eu queria ser atriz. Mamãe respondeu firme: "Infelizmente". Depois de uma pausa consternada, tia Valentina acrescentou: "É pena. Podia, como eu, ser funcionária pública".

Do meu lado, com meu instinto louco, eu sabia que era isso que iria fazer e teria que encontrar um caminho, mesmo não sendo capaz de romper com a minha estrutura familiar, jamais. Sou um ser tribal. Por herança.

A teledramaturgia da programação só me ocuparia um dia na semana. Eu podia continuar trabalhando na Rádio MEC, seguir com minhas aulas na Berlitz e levar uma vida aparentemente "normal", quer dizer, aos sábados e domingos estaria em casa. Se chegasse um parente, uma visita, meus pais não teriam que explicar que a filha estava "sabe-se lá onde". A conversa com eles foi calma, insistente. Eles, milagrosamente, me liberaram. Acho que por exaustão.

A programação televisiva de São Paulo foi feita — em sua maior parte — pelos profissionais do rádio. A TV Tupi do Rio dependeu inteiramente, nos primeiros passos, do teatro. Juntaram-se em seu estúdio os amadores do Teatro do Estudante, do Teatro Universitário, os monstros sagrados da Cinelândia. Vieram principalmente as estrelas da praça Tiradentes, como Grande Otelo, Chocolate, Colé, Mara Rúbia, Virgínia Lane, Mary Lincoln, Pérola Negra, os cantores e músicos das boates e as coristas das revistas musicais. A direção do *Teleteatro* foi entregue a Olavo de Barros, já um senhor, ex-galã da companhia de Leopoldo Fróis. Fróis foi o maior nome do nosso teatro nos anos 1920. Fundou o Retiro dos Artistas, que até hoje atende dezenas de artistas, atores, em sua velhice desamparada.

Olavo de Barros foi pioneiro como ator e diretor do radioteatro na década de 1940. Esse artista era um homem de longa vida em nossos palcos. Foi galã importante em companhias dos anos 1920. Era brasileiro, mas cultivava um levíssimo sotaque português — característica, como já disse, da prosódia cênica dos velhos tempos. Participei de alguns teleteatros, até definirem uma programação compreendendo a retrospectiva da

História do Teatro Universal. Quando estreei, como *Antígona*, de Sófocles, corri para a Freitas Bastos, uma enorme livraria no largo da Carioca. Fui atrás do que existia sobre a temática, em francês ou em espanhol. Não se publicava quase nada em português. O inglês não se tornara, ainda, uma língua universal. Embora, claro, eu já soubesse de Antígona, de Electra, de Clitemnestra, de Fedra, de Édipo, necessitava de um amparo maior para encarar, ao vivo, um clássico desse porte.

Durante dois anos, a cada quinze dias, surgia um novo desafio: *Le Cid*, de Corneille, *A dama das camélias*, de Dumas Filho. Fiz dezenas de clássicos: de Plauto a Pirandello. Representávamos para nós mesmos, à espera do nascimento de uma plateia eletrônica. Na *História do teatro brasileiro*, que partiu dos poemas de Anchieta, chegou-se até Silveira Sampaio. Cada vez que me via envolvida com um empreendimento assim, lá ia eu — autodidata eterna — cavar nas livrarias, nos sebos, o material de que precisava. E comecei a organizar minha pequena base de consulta. É evidente que essas "ousadias cênicas", via TV, eram bem modestas, mas e daí? Os dois anos que passei na Tupi do Rio me serviram de iniciação teatral, já que eu me jogava no desafio, e tudo era lucro para uma aprendiz. A televisão possibilitou um relacionamento imenso entre a minha geração e a geração dos velhos atores experientes no drama e na comédia de costumes. E bendigo o que essa geração me passou como herança.

Nos meus primeiros dois anos de TV Tupi, fui também apresentadora de grandes nomes internacionais, como Maurice Chevalier e Josephine Baker. Nas nossas instalações, não havia palco nem auditório — esses artistas eram recebidos e aceitavam aquele estúdio precário. Lembro que fiquei muito admirada ao ver que Josephine Baker maquiava o corpo todo, até entre os dedos dos pés. Era uma mulher já não tão nova, para mim um pouco pesada diante da minha magreza. Ela solicitou uma luz de ribalta, de baixo para cima, que a deixaria mais leve. É claro que não dispúnhamos disso — não dispúnhamos de nada. Ela exigiu: "Se não tiver, não canto". Inventaram, às pressas, uma fileira de lâmpadas pelo chão e Josephine cantou. Apresentei, na sua segunda visita ao Brasil, Carmen Amaya com sua família, um conjunto flamenco formado por jovens e por densos velhos ciganos. Durante horas, eu os observei ensaiando, sérios, suados, entre *taconeos* e castanholas, ali num canto daquele andar da TV! E lembrei de nós três, eu e minhas irmãs, na plateia do teatro da praça Tiradentes. Na vida, o que não é possível?

Para a programação geral praticamente não havia intervalos, já que não existia publicidade. A televisão pioneira dependia inteiramente de seus próprios recursos. Levaria algum tempo até que a ambicionada publicidade se tornasse tão forte e tão fundamental à sua sobrevivência. Naquele pioneirismo, o que chegou à área financeira não veio com a rapidez necessária, sonhada. Logo a estação entrou em colapso. Nessa crise, houve graves atrasos no pagamento dos salários. Foi quando surgiu a oportunidade, inesperada, de eu voltar ao teatro para fazer parte de um elenco em torno do conceituadíssimo João Villaret.

O produtor, deputado Barreto Pinto, vira em Lisboa esse extraordinário artista na peça *Está lá fora um inspetor*, de J. B. Priestley, e ficara deslumbrado. Decidiu abrir uma empresa teatral só para trazê-lo ao Rio de Janeiro. A atriz Heloísa Helena, minha colega na TV Tupi, me trouxe o convite para integrar o elenco. Villaret já era famosíssimo no Rio como um excelente declamador, palavra que hoje parece uma aberração. Era arrebatador ao dizer os grandes poetas portugueses e brasileiros. Acumulava uma herança literocultural de pelo menos seiscentos anos. Nas suas muitas apresentações nos nossos teatros, popularizou não só os clássicos, como também a obra dos poetas modernos portugueses, Fernando Pessoa, Mário de Sá-Carneiro, Antero de Quental, José Régio, António Botto. Como todo ator europeu de formação clássica, ele sabia falar a sua língua. Lembro de um soneto de Bocage, o último deixado pelo poeta. Villaret dizia de uma forma inesquecível: "Já Bocage não sou!".

Já Bocage não sou!... À cova escura
Meu estro vai parar desfeito em vento...
Eu aos Céus ultrajei! O meu tormento
Leve me torne sempre a terra dura;

Após cada recital, a plateia exigia mais e mais sob infindáveis aplausos.

Para mim, voltar ao teatro ao lado desse homem era inimaginável. Um convite irrecusável. Com Villaret entendi que se pode, sim, "falar" a poesia.

Já íamos começar os ensaios quando descobriram haver uma lei do vereador Raimundo Magalhães Jr. — homem de teatro, autor e tradutor — que obrigava as companhias a apresentarem textos brasileiros em sua estreia. Diante disso, montou-se a peça *Loucuras do imperador*, de Paulo Magalhães, amigo de Barreto Pinto e marido da atriz Heloísa Helena. O autor e também diretor do espetáculo era um homem sem real prestígio, escritor de peças populares, não qualificadas. Como diretor, o primeiro conselho que ele me deu foi: "No teatro, antes de mais nada, você tem que aprender a ouvir o ponto". Todos trabalhavam com ponto, mas aquilo me atrapalhava. Pedi delicadamente ao senhor do ponto que não pontasse para mim.

Penso que Villaret deve ter se arrependido dessa volta ao Brasil. Surpresa foi ele aceitar a temporada, estreando como coadjuvante numa subpeça nacional. Seu personagem era tio da Rosinha, protagonista que me caberia na distribuição. O protagonismo milagrosamente às vezes é um acaso na vida dos atores. Após a peça brasileira, seguiria, então, a encenação do autor inglês, com Villaret à frente do elenco.

A Rosinha era uma mineirinha virgem por quem d. Pedro I se encantou ao passar por Minas. Queria trazê-la para a corte como sua amante, mas ela, virtuosíssima, recusou. Rechaçou o imperador, no centro do palco: "Não! Prefiro ser mãe brasileira em Minas Gerais". Primeira frase de um longo e extrapolado monólogo.

Assim, por misteriosos caprichos do destino, estreei no dia 3 de outubro de 1952, corajosamente diante das circunstâncias, na referida peça, como protagonista, ao lado de João Villaret, de Osvaldo Lousada, como d. Pedro I (o adorável Lousadinha, que teve uma longa carreira de ator, só encerrada cinquenta anos depois), e de d. Lucília Peres, já bem idosa, no papel de minha dindinha.

Essa atriz das décadas de 1910 e 1920, outrora cultuada, era uma personalidade forte, sóbria, e tinha em comum com Villaret a prosódia portuguesa que os jovens atores brasileiros já não possuíam. Tinham grande afinidade em cena. Ela sabia quem ele era, ele sabia quem ela era. Lucília, mulher de beleza impressionante e pele alabastrina, foi um arrebatado amor de Leopoldo Fróis. Dizia-se que, quando eles brigavam, o Rio de Janeiro inteiro tomava partido.

Por uma estranha e acredito que mística coincidência, a personagem Laudelina Gaioso, uma mocinha do Catumbi, atriz amadora de talento, que eu faria dali a alguns anos em *O mambembe*, de Artur Azevedo, fora inspirada na vida dela. Lucília Peres, tão credenciada, respeitada, protagonizou quase todas as peças de Azevedo, de quem foi muito amiga. Também foi ela a sublime criadora de *A dama das camélias* no Brasil. Assistira a Eleonora Duse e Sarah Bernhardt no papel. Nas nossas conversas de bastidores, contava que, na cena em que Armand Duval dá um banho de dinheiro em Marguerite Gautier, Sarah Bernhardt soltava um grito lancinante, enquanto a Duse emitia apenas um imenso gemido implodido. As nossas plateias lotadas, logo após o gemido íncubo da Duse, aplaudiam aos gritos prolongados de "bravo". Lucília achava Eleonora Duse a melhor atriz que ela já tinha visto na vida e Sarah Bernhardt muito histérica para o seu gosto. Nos mesmos bastidores, certa noite ela me olhou, me avaliou e disse: "Fernanda, você pode, sim, fazer *O dote*, de Artur Azevedo". Ela fora a criadora dessa personagem!

Lucília Peres foi um esplendor. Quem viu, viu: a arte do ator não se fixa. Nada fica.

Villaret foi muito atencioso comigo. Percebeu que eu tinha olhos em cima dele — queria aprender. Os atores se pressentem. Ouvi dele que, certa vez, ainda muito jovem, caminhando por uma rua de Paris, viu o grande homem de teatro francês Louis Jouvet. Ao cruzar com ele, sem quê nem pra quê, Jouvet parou na sua frente e disse: "Ator. Você é ator". E seguiu seu caminho.

Villaret me reconheceu atriz. Ficamos amigos e nos correspondemos por um bom tempo. Ele morreu aos 47 anos, de uma complicação causada pela diabetes.

O que Villaret me passou: se você dormir na palavra, seu corpo dorme junto. Não é seu corpo que vai dominar a sua palavra, é a palavra que domina seu corpo.

Loucuras do imperador e *Está lá fora um inspetor* — com direção de Villaret — foram dois grandes sucessos de público. Com as personagens Rosinha e Sheila ganhei o prêmio de atriz revelação de 1953. De imediato, me veio o convite da importante companhia teatral do Rio, Os Artistas Unidos, com a respeitável atriz francesa Henriette Morineau à frente do elenco. Como voltar à TV depois dessa experiência? Por que voltar?

Eu tinha me cansado daqueles estúdios. Só respirava teatro. Não só eu. Só respirávamos teatro, eu e Fernando Torres.

Um par que permanece unido por sessenta anos sempre provoca estranhas, mirabolantes e perversas especulações. Fernando e eu nos juntamos, nos colamos. Explicar? Como? Aliás, para que explicar? Não tem explicação racional nem irracional. Nem esotérica.

Estávamos profissionalmente contratados, eu nos Artistas Unidos, ao lado de Morineau, e Fernando na Companhia Eva Todor, isso depois de ele largar a Panair. O emprego na maior empresa aérea que o Brasil já teve deveu-se ao fracasso de *Alegres canções na montanha*. Dr. Manuel Monteiro Torres, médico, catedrático, havia imposto: "Ou estuda ou trabalha". O filho prestou o concurso de admissão para a Panair e foi aprovado.

O convite para voltar ao teatro lhe veio através do amigo Jorge Dória, extraordinário comediante, então contratado como galã de Eva Todor. O inesquecível Dória foi nosso grande amigo pela vida afora. A amizade com Fernando nasceu pelas noites e madrugadas em bares e restaurantes de Copacabana, centro vital da boemia intelectual, teatral, musical da época. Nunca acompanhei Fernando nesse território. Era o grupo dele, e eu sempre respeitei sua independência.

Naquele tempo, a virgindade não era uma opção, era uma obrigação. Isso dito, para mim virgindade nunca foi obrigação, e sim opção. Nada tão amplo nem tão restrito. Acredito que certos rituais, inclusive o desvirginamento, tanto para o homem quanto para a mulher, são cerimônias míticas — penso que o mito existe sempre como um alicerce em qualquer ato de nossa vida. Por mais que se quisesse romper a herança arcaica da "iniciação", esse ato sobrevivia ainda fortemente naqueles anos sem pílula e sem divórcio. O aborto? Era crime, como é até hoje. Alguns noivos, alguns namorados, ficavam ali num jogo erótico — e às vezes como teste —, tentando o tempo todo penetrar sua dita amada e, na maioria dos casos, quando a mulher se entregava, eles a abandonavam. Ela não era confiável. Havia o perigo, diante dessa "fraqueza", de eles serem futuros cornos. Em *O país do Carnaval*, primeiro romance de Jorge Amado, o personagem comunista, portanto presumidamente liberto de preconceitos burgueses, cristãos, rompe com a namorada por ela ter cedido aos seus apelos sexuais antes de um casamento civil. Está lá. História assinada por um comunista declarado, denunciando um ato torpe desse personagem. Mas pergunto: por que, logo de cara, a obrigatoriedade inarredável da penetração? Há um corpo da cintura para baixo e outro da cintura para cima? Todo o corpo é uma unidade erótica, sexual, a ser usado segundo o desejo. Em acordo. Essa é a grande carnificação da liberdade.

* * *

A radicalização feminista torna-se necessária enquanto não se alcança um justo consenso de igualdade. Leva tempo e muita luta. Sou paciente e sei que um dia chegaremos lá. Como mulher, como fêmea, ainda tenho hábitos que não consigo abandonar. Exemplo: pôr comida no prato do meu homem, no prato de meus filhos e no de meus netos, se houver chance. É a minha comunhão uterina com a vida. Lembro, criança, em casa, as mulheres, matrizes, motrizes, servindo seus maridos, suas proles e quem mais viesse. Não vejo esse gesto como servidão. Se me dá prazer, por que não? Nossos seios continuam espirrando leite após o nascimento de uma criança. Quer pôr comida na boca do seu filho? Que ponha. Que alimente. É uma opção. Aliás, acho poderoso amamentar nossas tribos, desde que queiramos, como no período maravilhoso do matriarcado, quando os mamilos de todas as fêmeas sustentavam todas as bocas. Foi a era gloriosa do nosso poder absoluto.

Da parte do Fernando, houve grande reação ao casamento religioso, mas ele acabou entendendo que isso apaziguaria nossas famílias. Decidimos que a cerimônia, simples, discreta, seria na igreja de São Cristóvão, o bairro onde eu vivera muitos anos com meus pais e minhas irmãs. Meu vestido de noiva foi um presente da nossa querida Eva Todor, feito pela mãe dela, uma costureira de talento e prestígio. Era um vestido clássico, seco, não tinha véu caindo nem cauda arrastando. Cumpriu-se o ritual ao som de um solene órgão. E, de forma impensável, fomos tomados por uma forte emoção. Derramei minhas lágrimas discretas. Fernando chorou tanto que mal conseguiu dizer “sim”.

Acreditávamos — e de uma maneira honesta, radical — que éramos "modernos" e só queríamos ser felizes. Jamais nos submeteríamos a uma união, ou a um casamento por uma vida inteira. Apenas enquanto quiséssemos. Se não estiver bom, cada um para o seu lado. Tudo muito definitivo e acertado. Conclusão? Fernando foi o único homem da minha mais profunda, celular intimidade. Único. Só Freud explica? Tudo bem: só Freud explica.

Em vários aspectos, eu, conscientemente, bastante jovem, sem histrionismo, já vinha me "deseducando" de tudo que dizia respeito à "moral patriarcal" obrigatória. Eu sou lenta. Pelo próprio exercício da minha profissão, sempre convivi com muitos homens: machos, extremamente machos, não tão machos, jamais machos e os definitivamente entregues a qualquer exercício sexual. De amigos héteros — intelectuais ou não —, ouvi e ainda ouço, embora não mais com tanta frequência, avaliações sobre "a mulher". Confesso que tive e continuo tendo imensas e geladas decepções. *Alguns*, após o batismo de três ou quatro uísques, repetem, clara ou camufladamente, a máxima: "Todas as mulheres são putas, com exceção de minha mãe". Às vezes, dentro de uma "visão contemporânea", alteram o final: "Inclusive minha mãe".

Alguns homens poderosamente inteligentes, intelectuais da pesada, conquistadores, envolveram-me profissionalmente e de maneira inarredável. Repito: só profissionalmente. E com os anos de convívio, extrema surpresa, eu me tornei amiga e confidente de alguns deles, não só de suas conquistas sexuais, seus amores, como também de seus problemas existenciais. Foram e são, para mim, amizades imorredouras.

Por justiça, temos que reconhecer, nos nossos dias, a existência ao nosso lado de um novo homem. Não há tantos, mas muitos já estão conosco. Devemos saudar o sadio convívio com esse novo ser masculino: o homem-criatura. Porém, a cumplicidade e a permanência de um par, do sexo que for, por mais que se tente especular, não são ciências exatas. Fernando e eu ainda tivemos o privilégio de uma paixão em comum, uma comunhão de vocação, de ofício: atores. Só um ator aguenta outro ator. Ou alguém da mesma área, que é o teatro. Senão, como suportar uma vida ininterrupta sobre um palco pelo Brasil afora, durante sessenta anos, ao lado de alguém que não sofra da mesma doença? Nem o amor suporta. Em princípio, no caso das atrizes, se não existe uma verdadeira vocação, inarredável, só lhes cabe a desistência perante o: "Ou larga ou é o fim". Algumas vão e vêm. Isso quando a união não acaba. Desistem do teatro ou de seu homem. O ator não vive demanda tão violenta diante de uma companheira não atriz.

O palco deu a mim e a Fernando um campo neutro. É evidente que houve muitas crises destrutivas. Avassaladoras. Devastadoras. Para ambas as partes. E continuamos. Por que continuamos? Tenho muito pudor de dizer a palavra "amor". Mas que outro sentimento explicaria o mistério de, num olhar, nós percebermos que não chegaríamos a ninguém igual? E também devemos, sim, ao teatro o fato de termos escapado da maldição do tédio, que flagela tantos casais — não tivemos tempo para isso. O palco sempre nos liberou, nos renovou, nos perpetuou.

Quando proibiram a exibição de uma de nossas peças, *A volta ao lar*, de Harold Pinter, Fernando foi a Brasília pedir a liberação e ouviu um sermão do coronel que o atendeu: "Não pode! Escandaliza a plateia! Tem muito palavrão e, como se não bastasse, tem uma hora em que a atriz trepa com o ator". E Fernando respondeu: "O diretor sou eu, a atriz é minha mulher. E eu estou aqui lhe dizendo que nem eu e nem ela estamos preocupados com isso". A "trepada" era apenas um jogo cênico. Como explicar isso a um coronel? Ou à maioria das pessoas?

Durante séculos, a arte teatral foi proibida à mulher, mas, a partir do momento em que nós pisamos naquela arena, a questão do gênero tornou-se irrelevante. Fora dali o sexo feminino ainda enfrenta enormes preconceitos, porém, em cena, vai ganhar o melhor. De qualquer gênero. Vence o talento. A vocação. A vocação e o talento é que nos dão a absoluta liberdade de ser. Fora e dentro do palco.

Lembro de minha mãe sempre tão entregue à sua domesticidade. Com a morte de papai, após sessenta anos juntos, ela passou por uma depressão. No fim de uma sessão com a psicanalista, disse: "A senhora sabe o que eu gostaria de ter? Liberdade". Sempre ouvi de mamãe: "Ah, se eu fosse homem! Ia ser marinheiro, andar pelos mares, viajar pelo mundo...". Às vezes até me pergunto se minha profissão não ofereceu à minha mãe a possibilidade de, através de mim, "sair pelos mares". Ultrapassar os limites da sua vida doméstica, enquadrada.

Ainda muito jovem, li *O segundo sexo*, de Simone de Beauvoir, logo que foi lançado no Brasil. A linguagem clara e absorvível dessa escritora, filósofa, socióloga me trouxe para a questão complexa que é a nossa condição de mulher. Minha geração viveu o começo da transformação que só veio à tona, fortemente, nos anos 1960 e 1970. Houve um corte sem volta na visão social, existencial da condição de "ser mulher". Embora continue a ser necessário mais, muito mais. Como a personagem Nora, na peça de Ibsen, saímos da "gaiola" — da casa de boneca. A busca da igualdade liberta qualquer sexo. E, talvez, mais ainda o próprio sexo masculino. Ouvi do pai de Fernando que, na sua juventude, um médico como ele, que pretendesse abrir um consultório, tinha que se casar o mais depressa possível porque, enquanto permanecesse solteiro, não era, socialmente e moralmente, confiável para atender nenhuma mulher dita honesta. Mesmo se tratando de um exemplo modestíssimo, essa obrigatoriedade social, essa condenação a um "casamento rápido e utilitário", não é uma das tantas prisões castradoras para todo ser humano, não importando seu sexo ou sua profissão?

Fernando e eu viemos de mundos muito diferentes. Meu sogro foi prefeito de uma cidade do interior do Espírito Santo e deputado estadual. Como deputado federal, preparava-se para ir à capital do país quando Getúlio Vargas fechou o Congresso, em 1937. O dr. Manuel Monteiro Torres era um político honesto, portanto, sem recursos.

O pai sentou-se com o filho, que tinha dez anos, e explicou que, com o fechamento do Congresso, só lhe restava tentar sozinho a vida no Rio de Janeiro, e aí começam algumas coincidências incríveis entre a minha vida e a de Fernando.

Eles também foram morar em Jacarepaguá, onde o irmão da minha sogra, casado com uma mulher rica, vivia num belo sítio, extremamente sofisticado. Fernando passou a estudar no Instituto Souza Marques, um ginásio situado em frente ao Colégio Paraná, escola pública onde eu cursava o primário. Um dos colegas dele, de quem ficou amigo, era Emílio, meu primo afim, que morava na casa onde nasci. Fernando, muitas vezes, foi a essa casa para estudar com Emílio. Só tomamos conhecimento de tal coincidência quando já estávamos casados.

Fui bem recebida na família Monteiro Torres, embora fosse uma moça do subúrbio, neta de imigrantes, filha de um funcionário da Light. E atriz em começo de carreira. Aparentemente, não houve — por parte deles — preconceito pelo fato de eu ser uma mulher de teatro. Aparentemente.

Destaco, com reconhecimento e muita saudade, que tive uma grande sogra, d. Hilda.

Quatro meses depois de nos casarmos, a Companhia Eva Todor saiu em excursão pelo Nordeste e Norte do Brasil, como faziam, no verão, muitos grupos teatrais cariocas. Ia-se de ita, parando nas cidades litorâneas, de Vitória a Fortaleza, São Luís. A embarcação facilitava o transporte dos cenários e a hospedagem em cada capital. Apresentava-se um espetáculo na ida e outro na volta ao Rio.

Quando Fernando partiu nessa excursão que duraria dois meses, eu trabalhava com Morineau. Fiquei no Rio. Recém-casada. Sozinha. Logo que retornaram, Eva e seus artistas partiram para outra temporada, agora pelas capitais do Sul do país. Novamente, recém-casada e sozinha. Só havia o teatro. Só me restava o teatro.

Eu nunca imaginei que um dia trabalharia com uma atriz da dimensão clássica de Henriette Morineau, com aquela forma francesa, grandiosa, de atuar. A coluna sempre no lugar. A cadência de sua emissão, embora ela falasse o português com fortíssimo sotaque. Madame, como era chamada, formou-se numa escola de teatro de trezentos anos de existência. Casou-se e veio para o Brasil em 1930. Acompanhando o marido, largou o teatro. Durante a guerra, Morineau voltou ao palco a convite do ator Louis Jouvet, que excursionava pela América do Sul e América do Norte num projeto de resistência cultural do teatro de seu país, já que a França fora ocupada pelos nazistas. E, a partir daí, Morineau não abandonou mais o teatro. Como diretora, cuidava muito da articulação da frase e da postura. "Todo ator tem que usar as pernas como duas colunas; nenhum ator existe se não se puser sobre as suas duas colunas. O ator que não sabe se plantar sobre suas pernas é como uma casa sem alicerces."

Madame Morineau impunha um respeito místico a ela e ao teatro. E uma disciplina absoluta. Ao chegar, você tinha que bater à porta do seu camarim. Se ela quisesse vê-lo, ordenava: "Entre". Se não, dizia: "Falamos depois". Na hora de ir embora, você tinha que se despedir: "Boa noite, até amanhã, Madame". Não era um beija-mão, mas o ritual de uma disciplina que não nasceu na esquina. Tudo isso deixou em mim a semente de uma estrutura teatral, a visão de como somos parte de uma profissão ritualizada. E que é sempre vida ou morte. Estão ali: o touro, o toureiro, e o espectador torcendo mais pelo touro. Se mata o touro, você é um herói — só naquele instante.

Os Artistas Unidos foi uma das companhias mais importantes dessa época no Rio de Janeiro. Seu repertório alternava melodrama e comédia. Oferecia todas as atrações características do chamado "teatro burguês": cenário, figurino, primeiro ato, segundo ato, terceiro ato. A hierarquia também era rígida: primeiro ator, segundo ator, terceiro ator, coadjuvantes. E realizava excelentes e acadêmicos espetáculos. Sempre com fartas bilheterias. Eram dez sessões semanais. Minha estreia definitiva no teatro foi em 1953, na peça *Mulheres feias*, transbordante melodrama de um autor italiano, Achille Saitta. Direção: madame Henriette Morineau.

O papel que me deram foi o da filha da personagem principal, interpretada por Madame. Essa filha devia ser feia e apagada. Havia na história uma prima, vinda de Londres, sedutora, infernal, belíssima, que alucinava todos os homens da família. Entre os jovens apetitosos estava Jardel Filho, ator já respeitado e consagrado. Claro, na peça a mãe da feia, enlouquecida, matava a endemoniada sobrinha. Eu não quis fazer a feia. Timidamente, meio apavorada, tomei coragem e disse que queria fazer a sedutora. O produtor, meio desiludido, argumentou comigo que a bonita era um bom papel, mas ela morria no segundo ato. A feia era a coprotagonista. Eu insisti. Eles acabaram cedendo, embora desconfiando de que corriam sério perigo com a troca.

Entendi, instintivamente, que interpretar a bela demônia seria, para mim, um desafio mortal. Esclareço que não foi um desejo histriônico ou apenas competitivo. Foi o desejo de experimentar uma não eu. Além de ser muito tímida, eu me achava um estrepe. Hoje, olho minhas fotos quando jovem e me acho bem bonita. Mas o padrão de beleza da época era o das mulheres carnudas, corpos divinos, rostos perfeitos: Martha Rocha, Adalgisa Colombo, Tônia Carrero, Danuza Leão, Norma Bengell. Todas extremamente sedutoras. Nunca mais, que me lembre, houve uma geração de mulheres tão deslumbrantes. Estavam presentes em todos os níveis sociais e artísticos. Eram, as ligadas ao palco, presenças gloriosas nas revistas da praça Tiradentes, nas boates, nos shows de Carlos Machado. Atravessava-se uma noite inteira dentro de uma boate só para ver aquelas mulheres estonteantes desfilando de lá pra cá, de cá pra lá. Eu era só cabelo e olho. Pesava 42 quilos e tinha 1,65 metro de altura. A estética só mudou nos anos 1960, quando a modelo inglesa Twiggy finalmente conquistou um lugar ao sol para as magrelas. Compreendo que ousei desafiar o meu lado de fora porque, modéstia à parte, atrevo-me a dizer — me perdoem a vaidade, só analiso isso hoje —, eu tinha, quem sabe, o "lado de dentro". Arrisquei. E o resultado foi uma "consagração" por parte da crítica e do público, que me aceitaram como uma mulher amoral, perversa, sedutora. Mistérios do teatro. Pascoal Carlos Magno escreveu no *Correio da Manhã*: "Não há no palco mestra e discípula. Mas duas artistas conscientes". A minha voltagem nesse tipo de trabalho iria de alguma forma me aliviar de tantos bloqueios. E toda elegante, na pele daquela mulher satânica, houve um momento em que me vi refletida no grande espelho do camarim do Teatro Copacabana e disse a mim mesma: "Acho que tenho futuro".

Os anos vividos foram de coragem e medo. Entreguei meu corpo, daquele momento em diante, a toda e qualquer estética ou jogo cênico que o personagem exigisse de mim. Vejo, hoje, que troquei de pele pela vida afora durante setenta anos. Nunca tive realmente e definitivamente o meu próprio rosto, o meu cabelo, e nem a minha postura. No fundo, me pergunto, como faz Cecília Meireles, no seu poema "Retrato": "em que espelho ficou perdida a minha face?".

Em meados de 1953, o Teatro Copacabana pegou fogo. O enorme sucesso que era *Mulheres feias* se transferiu para outro teatro, o República, no centro do Rio. Enquanto se restaurava o Copacabana, a companhia remontou algumas peças do seu repertório: *Jézabel*, de Jean Anouilh, *A cegonha se diverte*, de André Roussin, e *A mulher sem alma*, de George Kelly. Fiz parte desses remontes.

Já acontecia um desentendimento surdo entre o produtor Carlos Brant e Madame, mas o ritmo da vida continuava intenso. Em alguns domingos, depois do espetáculo, tomávamos o trem ou o ônibus para São Paulo e na noite de segunda-feira apresentávamos ao vivo, na TV Tupi, uma peça do repertório de Morineau. Na terça, cedo, voltávamos para o Rio. À noite retomávamos o espetáculo. Na mesma época, como Fernando continuava excursionando com Eva Todor, deixei o nosso pequeno apartamento alugado em Copacabana e fui morar com meus sogros, na Tijuca, onde fui recebida com muito carinho.

Chegamos à conclusão de que não era possível, recém-casados, vivermos separados. No elenco de Morineau, com os remontes das peças, faltava um ator jovem. Fernando, então, se desligou da Companhia Eva Todor, entrou para a dos Artistas Unidos, e partimos todos para uma temporada de três meses na Pauliceia.

Havia um milagre acontecendo em São Paulo quando chegamos lá, em 1954. A cidade comemorava o IV Centenário e vivia um momento de grande expansão econômica e de extraordinária efervescência cultural. Na nossa área, funcionavam a todo vapor as companhias cinematográficas Vera Cruz e Maristela, o Teatro Brasileiro de Comédia — muitos grupos ocupavam os palcos da capital, entre eles o Teatro de Alumínio, de Nicette Bruno, e o Teatro de Arena, com o corajoso José Renato à frente, e Maria Della Costa com Sandro Polloni inauguravam seu teatro. Lembro, dentre tantos acontecimentos culturais, do Balé do IV Centenário, da inauguração do Parque do Ibirapuera, da presença do Masp, ainda na rua Sete de Abril.

O projeto inicial era ficar em São Paulo somente durante a temporada de Morineau e depois, claro, voltar para o Rio. Com nosso pequeno salário, alugamos um quarto, com direito a café da manhã, num prédio elegantezinho na esquina da avenida

Rebouças com a rua Oscar Freire. A Rebouças era linda, ampla, tinha um canteiro central arborizado e também canteiros nas calçadas laterais. A dona do apartamento era uma argentina que viera para o Brasil com o marido, fugindo de Perón. Foi ela quem nos contou, na manhã de 24 de agosto, quando tomávamos o nosso café, que Getúlio Vargas havia se matado. Como não dispúnhamos de rádio, muito menos de televisão, não sabíamos ainda que as ruas do país tinham sido tomadas pela multidão. À noite, fomos para o Clubinho, um bar no centro da cidade, frequentado por artistas e intelectuais. O lugar fervia. Lembro de um jovem gaúcho, vestido a caráter, tocando canções do Sul num acordeom, revoltado, surtado de emoção. Como 99% dos brasileiros.

A temporada já estava no fim e era perceptível o esgotamento da companhia quando passou pela nossa cabeça a ideia de largar tudo e ir estudar teatro na Europa. Tentar a vida lá. Com a morte de Getúlio, o país estava numa convulsão política. Como sobreviveríamos? Era comum na época as pessoas irem fazer cursos em Paris, em Londres. Os Estados Unidos ainda não estavam na moda. Talvez abandonássemos o teatro. Com os contatos na Rádio MEC — eu continuava adaptando textos para o programa *Passeio Literário* —, poderíamos conseguir estágio ou mesmo alguma colocação na BBC, em Londres, ou na Rádio Difusão Francesa. Conversamos com madame Morineau sobre a ideia. Para surpresa nossa, ela nos desencorajou. Achava ótimo que visitássemos a Europa, mas era cética quanto às vantagens de estudar teatro no exterior. Teríamos de nos envolver com outra cultura, dominar outra língua em sua mais profunda identidade. "Teatro, faça na sua terra e nas circunstâncias dessa terra", ela nos aconselhou, baseando-se em sua própria experiência: jamais dominou a língua portuguesa. Embora integrada no Brasil, foi sempre uma atriz expatriada.

Fomos falar com meus pais sobre largar o teatro. Espantei-me quando minha mãe, que vira com tanta preocupação a minha decisão de ser atriz, ficou altamente indignada: "O quê?! Largar o teatro? De maneira nenhuma!". Talvez meus pais tenham chegado a essa aceitação tão apaixonada porque não os confrontei. Não os desafiei. Por si sós descobriram tal profissão como idônea. Como um ofício.

Já nas nossas últimas apresentações em São Paulo, uma noite Maria Della Costa, Sandro Polloni e o diretor italiano Gianni Ratto apareceram no Teatro Leopoldo Fróis para assistir ao espetáculo. Dias depois, chegou o convite para fazermos parte da companhia de Maria e Sandro.

Sabíamos que Sandro era um corajoso homem de teatro, batalhador como ator e produtor. Sobrinho da grande Itália Fausta, atriz que participou de movimentos decisivos do teatro brasileiro desde as primeiras décadas do século XX. Ela integrou o Teatro da Natureza, nos anos 1910, encenando tragédias gregas no Campo de Santana, no centro do Rio, para centenas — repito, centenas — de espectadores. Quando Sandro fundou, em 1948, o Teatro Popular de Arte, TPA, que mais tarde se transformaria na Companhia Maria Della Costa, Itália Fausta era praticamente a atriz principal. Eu a vi fazendo *Teresa Raquin*, de Zola, *A estrada do tabaco*, de Erskine Caldwell, direção de Ruggero Jacobbi, e *Anjo negro*, de Nelson Rodrigues, numa encenação de Ziembinski. Como atriz trágica, tinha uma voz e uma emissão impressionantes. Nessa dimensão, nunca presenciei nada igual nos nossos palcos. Em 1947, Sandro e Maria, ainda no Rio com sua companhia Os Comediantes Associados, remontaram *Vestido de noiva*, de Nelson Rodrigues, respeitando a histórica montagem de 1943, assinada por Ziembinski. Assisti, ansiosa, feliz, a essa reencenação, com Maria Della Costa e Cacilda Becker no elenco. Na mesma época, apresentaram também *A prostituta respeitosa*, de Sartre, e *Desejo*, de O'Neill, com Sandro e Olga Navarro, direção de Ziembinski. Tal encenação trazia uma carga extremamente erótica. O espetáculo causou tanto furor que os grandes cômicos da praça Tiradentes, Oscarito e Grande Otelo, fizeram uma paródia que se manteve inesquecível na memória de quem viu.

Em São Paulo, a construção do Teatro Maria Della Costa foi um esforço gigantesco de Sandro e de Maria. Diferentemente do que ocorrera com o TBC, não contavam com o amparo milagroso de um mecenas. Num artigo para o jornal *O Estado de S. Paulo*, o crítico teatral mais importante do seu tempo, Décio de Almeida Prado, elogiou a coragem dos dois atores-empresários: "Uma teimosia que chega às raias da obstinação, o que nos deixa positivamente sem palavras".

A extraordinária encenação de estreia, *O canto da cotovia*, de Jean Anouilh, o primeiro trabalho de Gianni Ratto no Brasil, compensou todo o empenho. Foi um acontecimento cultural que fez frente aos grandes espetáculos do TBC. A companhia de Maria e Sandro estava sintonizada com o novo olhar sobre o teatro que iria marcar minha geração, e já se propondo como um teatro de grupo, de encenadores contestadores a serviço de uma dramaturgia libertária. Uma forma contemporânea mas ainda dentro da herança que João Caetano nos legou: ator-empresário. O que nos entusiasmou, a mim e a Fernando, foi a oportunidade de trabalharmos com o jovem diretor Gianni Ratto, um dos fundadores do Piccolo Teatro de Milão, ao lado de Giorgio Strehler. Gianni já era um dos maiores cenógrafos da Europa quando optou pelo Brasil.

Receberíamos, mais uma vez, um salariozinho desesperado, pois Sandro não tinha de onde tirar dinheiro, e todo o elenco entendia isso. Aceitamos aquele convite por uma adesão votiva à vida cênica — se tem o que comer, come, se não tem, come daqui a pouco. Se não tem roupa, veste-se essa mesma.

Gianni Ratto tinha algo de missionário. Fernando e eu o chamávamos de sr. Ratto, porque embora não houvesse chegado aos quarenta, ele era O Diretor. Vínhamos de uma convivência de dois anos com madame Morineau e sua disciplina férrea e hierárquica. Até hoje, se conversássemos com ele, nós o chamaríamos de senhor. Era severo, exigente, um condutor apaixonado e apaixonante, mas cruel em sua exigência. Não se poupava e não poupava nenhum de nós. Queria tudo aprofundado, correndo nas veias. Porém, fato único entre tantos encenadores estrangeiros, sempre nos conservou atores brasileiros sobre um tablado. Jamais nos dava entonações, o tempo de uma réplica, jamais didatizava o gestual para que o imitássemos, como a maioria daqueles europeus fazia com seus elencos. O exemplo máximo desse sistema europeizado foi Ziembinski. Durante os ensaios, ele, obstinadamente, incansavelmente, representava todos os papéis e exigia até a exaustão que os atores o copiassem nas inflexões, na postura, nos tempos das réplicas. Era uma regência absoluta. O resultado sempre foi esplêndido. A maior parte de seus espetáculos é uma referência de extrema e histórica qualidade. Mas outro ganho é um diretor que, diante de um personagem, faz você saltar daquele abismo jupiteriano através de suas próprias armas, de sua própria impensável força, de sua própria sensibilidade dolorosa-gloriosa até alcançar a verticalidade da bendita entidade.

Ratto foi a primeira pessoa do mundo do teatro que me fez entender o que é, para o ator, enfrentar o desassossego, o desconforto, o inarredável desespero de Sísifo. Nos anos 1950, Stanislavski e Brecht estavam chegando aos nossos palcos. Além dessas referências, Ratto exigia o jogo cênico através de dois gigantes do teatro do século XX, os franceses Jacques Copeau e Charles Dullin, para os quais o atuar tinha que ser buscado, obstinadamente, na essência da zona mais contraditória, profunda e desafiadora do humano.

Com Gianni Ratto, nunca nada era facilitado. E só sabíamos que tínhamos chegado ao que ele queria quando passávamos para outra cena. Não era dado a elogios. Jamais.

Até então, eu praticamente só tinha na pele um teatro factual, histriônico, tocando o meu personagem através de uma possível verve. E, de repente, me vi convocada a essa busca infindável. Existia um caminho amargo e feliz a percorrer diante do mistério de cada personagem e sua incorporação. Íamos para o teatro cerca de uma hora da tarde. Ensaiávamos até seis e meia, sete horas. O elenco irmanado, atento a tudo preciosamente buscado, integrado, conversado, todos debruçados sobre o texto, em torno de uma mesa, até passarmos para o palco. Entrávamos então em outra complexidade. Terminado o ensaio, comíamos qualquer coisa e nos preparávamos para o espetáculo da noite. Em geral de três atos. Quando comecei, e até esse momento, o ator não recebia o texto todo, mas apenas as suas falas e a última palavrinha da frase dita pelo outro personagem — uma "deixa". Com Gianni Ratto, tive nas mãos, pela primeira vez, a peça inteira, podendo também absorver as falas completas dos meus colegas.

Esse ritmo de trabalho, talvez menos votivo, continuaria nos anos seguintes, quando Fernando e eu fomos para o TBC. Muitos dos demais diretores estrangeiros exigiam igualmente ensaios exaustivos, nos quais repetíamos todo o texto duas, três vezes. O comando vocal dos italianos era: "*Coraggio! Da capo!*". Após essa passagem, vinha mais uma ordem: "*Coraggio! Da capo!*". Na repetição, encontrava-se a integração pretendida. E, então, ia-se aos detalhes. Mas em nenhum outro encenador vi a obstinação e o rigor de Gianni Ratto.

Como contratados de Sandro Polloni, nos mudamos para São Paulo. Fomos morar na rua Rocha, no bairro do Bixiga, num mais que modesto apartamentinho alugado que seria do zelador do prédio, se houvesse zelador. Foi o primeiro Ano-Novo que passamos longe da família. Na noite daquele Natal fomos ao Parque do Ibirapuera, recém-inaugurado. Lá, no meio da multidão deslumbrada, assistimos à Missa do Galo. Aliás, íamos muito ao Ibirapuera, caminhar entre as árvores, respirar.

Durante a temporada da *Cotovia*, fiz várias substituições, assim como Fernando — interpretei todos os papéis femininos da peça, com exceção de Joana d'Arc. Foi nesse elenco que reencontramos Sérgio Brito, e nos tornamos amigos — irmãos. Para todo o sempre.

Chegava-se ao Teatro Maria Della Costa atravessando a praça 14 Bis, que ainda era cercada de um pouco de mato. Só existia, ali, o novo e belo prédio nos fundos do teatro onde moravam, além de Sandro e Maria, Sérgio Brito e o grande e querido Eugênio Kusnet, que também fazia parte do elenco. O pequeno apartamento de Sérgio era o nosso clube. Depois do espetáculo, quando não havia ensaio, íamos para lá, onde sobre a mesa sempre tinha alguma coisa para comer. Conversas gerais. Avaliações dos ensaios e espetáculos. Um carteado. O dia quase amanhecendo, caminhávamos até o jardim da Biblioteca Mário de Andrade, para esperar a edição de *O Estado de S. Paulo* sair das rotativas. Ainda havia garoa na Pauliceia. Nessa época, nos aproximamos, também para sempre, de Antunes Filho, de Manoel Carlos, de Flávio Rangel. Formávamos o Grupo da Biblioteca, com Bento Prado, Cyro del Nero e uma pequena moçada intelectual, ambiciosa, no melhor sentido da palavra. Só eu de mulher, no grupo. O que, até hoje, considero estranho. Passávamos madrugadas naquele jardim, mesmo no inverno, em tertúlias sobre como mudar o teatro, a vida, o mundo. Não tínhamos dinheiro e, às vezes, nos cotizávamos para comprar um livro de Drummond, de Jorge de Lima, de Rilke, de Manuel Bandeira, de Kafka. O exemplar passava de mão em mão.

À consagrada encenação de *A cotovia*, seguiu-se a comédia *Com a pulga atrás da orelha*, de Feydeau, realizada com extrema qualidade, quer como produção, quer como jogo cênico de um elenco de catorze atores.

Por acreditar, como sempre acreditou, que sem autor brasileiro não haveria teatro brasileiro, Ratto recebeu, por intermédio do crítico Décio de Almeida Prado, o texto de um jovem dramaturgo paulista sobre a decadência das fortunas cafeeiras, sob o impacto do Crack de 1929 e da nova ordem social imposta por Getúlio Vargas, na Revolução de 30. Era *A moratória*, de Jorge Andrade. Gianni decidiu, de acordo com Sandro e Maria, que esse seria o espetáculo seguinte da Companhia.

Maria Della Costa estava exaurida, com a saúde abalada. Construir o teatro, trazer um diretor da Itália, ensaiar a *Cotovia*, dar conta daquela gloriosa temporada, além de um vaudeville de Feydeau. Tudo isso tinha minado suas forças. Generosamente, me cedeu o papel principal de *A moratória*, a personagem Lucília, filha de um fazendeiro quatrocentão arruinado que passa a ser sustentado por ela, agora uma modesta costureira, dividida entre a memória de uma vida abastada e a realidade da nova situação do país.

A oportunidade de fazer tal personagem foi um desses acontecimentos inexplicáveis que, longe de serem planejados ou sequer pensados, mudam o curso da vida.

Com a ação avançando simultaneamente em dois tempos e espaços cênicos e numa aceitação dolorida daquela sociedade em transformação, *A moratória* consagrou Jorge Andrade como autor entre os mais destacados nomes da nossa dramaturgia. Ruggero Jacobbi, que além de diretor foi um prestigiado crítico teatral, assim se expressou ao iniciar sua crítica: "Que os três rolos de fumaça branca se elevem sobre a basílica de nossas letras teatrais: *habemus papam*".

Jorge Andrade e a encenação arrebataram todos os prêmios daquele ano em todas as categorias. Eu mesma ganhei o maior prêmio de teatro de São Paulo da época, o Saci, que era conferido pelo jornal *O Estado de S. Paulo*. Tive uma recepção encantatória. Passei a existir e a ser respeitada como uma atriz possível, dentro daquela visão intelectual, severa e sofisticada da crítica paulista.

A *moratória*, montada em 1955, marcou também o teatro brasileiro. Acontecimento semelhante só se repetiria em São Paulo em 1958, no Teatro de Arena, com a peça *Eles não usam black-tie*, de Gianfrancesco Guarnieri, a quem, num futuro ainda distante, eu me ligaria como amiga e colega de cena no teatro, na TV e no cinema, quando esse texto, convertido em filme por Leon Hirszman, levantou o prêmio Leão de Ouro no Festival de Veneza, em 1981.

Na ordem programada do TPA, seguiu-se a apresentação de *Mirandolina*, de Goldoni, com direção de Ruggero Jacobbi, tendo Maria como protagonista. Depois dessa estreia, logo começamos a ensaiar, com Ratto, *A Ilha dos Papagaios*, de Sergio Tofano, uma ótima peça infantil. Uma escolha de Gianni Ratto.

Esse espetáculo, tão inventivo e muito bem realizado, foi desafiadoramente ou ingenuamente apresentado no horário noturno. O público se ausentou. O custo da produção era alto. A encenação não se pagava. Sandro e Maria salvaram momentaneamente a situação remontando *Manequim*, de Henrique Pongetti. Em seguida, fomos apresentar essa remontagem em Curitiba, aonde já tínhamos levado a *Cotovia* e *A moratória*. O governo do Paraná, na época, estava investindo em cultura. Houve um auxílio oficial para nossa temporada.

Há uma realidade a ser analisada: todos aqueles diretores europeus estavam acostumados com teatros oficiais, sempre cumprindo suas programações com sólidas, imensas verbas públicas, com as quais davam vazão à sua criatividade através de excelentes textos, grandes cenários, figurinos, elencos notáveis. Nessa dimensão, no Brasil, isso nunca existiu. O nosso teatro era autoproduzido. Naquele tempo tínhamos plateias, na sua maioria, fartas, presentes em sessões de terça a domingo, louvando um bom espetáculo, fosse tradicional ou contestador. Felizmente, ao contrário do que acontece hoje, o teatro era respeitado como um valor básico dentro da nossa cultura. As plateias ainda achavam que o teatro e o nosso trabalho mereciam o justo pagamento de um ingresso, o que garantia a nossa sobrevivência social e artística. Sandro, com toda a honestidade, viu que não tinha condição financeira de continuar produzindo, como ele próprio havia sonhado, aquele padrão Gianni Ratto. Houve um desacerto entre eles mais do ponto de vista financeiro que do artístico. Hoje, eu vejo assim. Mas na época pensávamos, Sérgio, Fernando e eu, que era uma ofensa artística não aceitar tal padrão de produção, à custa do que fosse, acima de tudo e de todos, num romantismo abrasador.

É que nós três já sonhávamos com um grupo liderado pelo Gianni. Era uma utopia, mas e daí? Quem sabe um dia, quando fosse possível, sem nenhuma dificuldade, teríamos também uma companhia de teatro! Existia, sim, uma certeza: não havia volta. Estávamos numa arte para a qual fôramos destinados. Ou condenados, na opinião de muitos. Foi quando o TBC chamou Gianni Ratto, que nos convidou para seguirmos com ele. Foi-nos oferecido um contrato modesto e milagroso de três anos. Aceitamos.

No TBC, sabíamos, Sérgio, Fernando e eu, que não passaríamos de uns "estranhos no ninho". Aquele espaço nunca esteve no nosso querer, embora reconhecêssemos a sua importância artística, cultural. Nós o víamos como O teatro de um país que não existia. O Arena, fundado em 1953, nos falava mais, como jogo cênico e como dramaturgia. Ingressamos no Teatro Brasileiro de Comédia porque precisávamos de um "tempo infindável" para organizar, de alguma maneira, o nosso projeto impossível. No consagrado edifício da rua Major Diogo, o que viesse seria aceito com respeito, energia e disciplina. A surpresa foi que, após sete anos de gloriosa existência, naquela casa se iniciava, em 1955, uma crise financeira e artística. O mesmo acontecia na Companhia Cinematográfica Vera Cruz, outro mecenato de Franco Zampari. Para o industrial, a situação do TBC se agravou com a saída de Adolfo Celi, juntamente com Tônia Carrero e Paulo Autran, ao fundarem sua própria companhia. A presença de Celi como diretor artístico tinha propiciado àquele espaço um reconhecimento único. Ele foi o articulador do período grandioso do TBC e o responsável pela poderosa frente de diretores da dimensão de Ziembinski, Bollini, Luciano Salce, Enrico Maria Salerno, Ruggero Jacobbi, e pelo elenco, vindo do grupo amador da alta sociedade paulista e tendo como primeira figura a presença de uma Cacilda Becker, referencial de atriz brasileira, que já em 1956 preparava sua despedida daquele palco, ao lado de Walmor Chagas e Cleyde Yáconis. Essa sua companhia teria na direção artística Ziembinski.

Zampari, desde o início, conduziu o TBC da mesma maneira como geria a sua indústria. O elenco tinha carteira assinada e todas as garantias trabalhistas, além de benefícios como remuneração adicional por representações extras. Isso trouxe aos atores, aos diretores, aos cenógrafos, ao menos por algum tempo e só naquele espaço, uma nova e surpreendente aceitação social e profissional. Foi um milagre orquestrado durante doze anos por esse empresário. No período áureo de Adolfo Celi, o repertório foi de John Gay a Sófocles, de Anouilh a Sartre, de comédia de bulevar a Górki, de Tennessee Williams a Pirandello. Houve, sim, uma grave e grande falha: a ausência de autores brasileiros naquele palco.

Após a saída de Adolfo Celi, Zampari contratou Gianni Ratto e o belga Maurice Vaneau, consagrado como diretor quando trouxe ao Brasil o espetáculo *Barrabás*. Vaneau assumiu a direção artística e, sem perda de tempo, convocou praticamente toda uma jovem geração de talentosos atores disponíveis no Rio de Janeiro e em São Paulo.

A casa de chá do luar de agosto, de John Patrick, foi, naquela sala, a grande estreia desse diretor belga. Espetáculo gloriosamente aclamado pela crítica e pelo público, permaneceu em temporadas longas em São Paulo e no Rio. O jovem recém-contratado Ítalo Rossi apaixonou plateias com seu magnífico trabalho, obtendo reconhecimento absoluto. Com justiça, alcançou o posto de "primeiro ator" — o que ainda era levado a sério no teatro brasileiro daqueles tempos.

A geração à qual pertenço sempre teve talento e fôlego. Não posso deixar de observar que ainda existia naquele edifício uma desconcertante e agressiva hierarquia artística. Daí, com humor, os recém-chegados se autodenominavam "elenco B". O estupendo ator Fregolente contestava: "Não é elenco B. É elenco O, de ótimo!".

Nossa estreia, minha e de Fernando, se deu com a remontagem, no Rio, da comédia *Divórcio para três*, de Sardou, com direção de Ziembinski, tendo Cacilda Becker como protagonista. Na distribuição dos personagens nos coube o casal de criados, papéis episódicos, destituídos de qualquer importância na peça, a não ser a função de poucas vezes abrir e fechar as portas do cenário. Havia um tributo a ser pago à hierarquia? Eram dois papéis, sem nenhuma necessidade cênica. Mas estávamos no TBC. É preciso lembrar que essa inexistente coadjuvância se apresentava ao lado de dois grandes, absolutos, referenciais atores como Cacilda Becker e Ziembinski. E éramos jovens. Para que pressa? Objetivamente, mesmo com pequeno salário, ganhávamos tempo. Estranhamente, esse espetáculo de enorme sucesso de crítica e de público, uma das maiores criações de Cacilda, permaneceu em cartaz só por um mês. Uma noite, estávamos Cacilda e eu na coxia à espera de uma deixa para entrarmos em cena quando ela me disse de uma forma inesperada que precisava voltar para São Paulo, pois havia um conflito com seu ex-marido a propósito do filho de ambos. E acrescentou que ia me indicar para substituí-la. A peça não poderia parar. Fiquei surpresa.

Como passar da criadinha ao posto de protagonista? Claro que esse convite não se confirmou. A peça deixou de ser encenada após somente um mês em cartaz. O que nos coube, a mim e a Fernando, foi retornar a São Paulo. Gianni Ratto finalmente tinha escolhido sua peça de estreia, *Crime e castigo*, de Dostoiévski, numa adaptação de Gaston Baty. Os protagonistas eram Fregolente, Ítalo Rossi, Sérgio Brito, Milton Morais. A nós quatro atrizes, Nathalia Timberg, eu e as do elenco tradicional, Elizabeth Henreid e Célia Biar, caberia dobrar papéis, pois a participação feminina na adaptação de Baty era mínima. Mas a encenação foi suspensa logo nos primeiros ensaios. A razão oficial é que as atrizes do elenco histórico, dada a sua importância hierárquica, não podiam ser desprestigiadas dobrando papéis.

O novo texto, sugerido por Zampari, para a estreia de Gianni Ratto foi *Eurídice*, de Jean Anouilh, e teria como protagonistas Cleyde Yáconis e Walmor Chagas. Para o elenco de coadjuvantes houve necessidade de contratar mais um ator. Gianni indicou Sadi Cabral, que era também diretor, professor, um homem respeitado e tinha grande experiência cênica, inclusive no teatro de revista da praça Tiradentes.

E tivemos outra surpresa: a entrada de Sadi Cabral no elenco foi negada. O motivo era que o seu tipo de ator não tinha categoria social e artística para atuar no TBC. Nunca soubemos com clareza de onde desciam ordens tão preconceituosas, até mesmo racistas. Sadi era nordestino — um dos mais devotos homens de teatro que conheci. Nos anos 1940 havia até dirigido Cacilda Becker, no período em que ela viveu no Rio quando fez parte da companhia de Comédias Íntimas, de Raul Roulien. Ratto e todos nós ficamos revoltados, indignados, com tamanha agressão. Houve uma grita do elenco. Cacilda, dignamente, deu seu testemunho da importância de Sadi Cabral, inclusive em sua própria história. E Sadi foi contratado. Os árduos ensaios duraram quase quatro meses. O texto era denso, amargo. E foi harmoniosamente encenado. O numeroso elenco formava a companhia mambembe que atravessava a França durante o horror da Segunda Guerra Mundial. Eu tinha uma única frase, dita ao protagonista: "O trem está chegando". A frase prenunciava a morte do herói.

Lamentavelmente, o espetáculo foi um fracasso absoluto de público, apesar de a crítica ter sido favorável. Cinquenta anos mais tarde, minha participação nessa peça renderia um depoimento surpreendente de Gianni Ratto.

O insucesso de *Eurídice* provocou um desentendimento sério entre o empresário e o diretor. A ordem foi que Ratto escolhesse um elenco e com ele fosse para o Rio, onde encenaria o texto que lhe interessasse, encerrando, assim, de comum acordo, sua ligação com o TBC. A peça eleita foi *Nossa vida com papai*, de Howard Lindsay, e os protagonistas, Fregolente e eu. Foi um estrondoso (não tenho medo do adjetivo) sucesso de crítica e de público. No elenco, estavam Nathalia Timberg, Sérgio Brito, Fernando Torres (como ator e assistente de direção), Mauro Mendonça, Carminha Brandão, Cláudio Cavalcanti e Maria Helena Dias.

Ratto desligou-se do TBC, e a convite da Universidade Federal da Bahia, que na época sediava um grande movimento cultural, seguiu para Salvador. *Nossa vida com papai* estreou no Rio em dezembro de 1956 e quatro meses depois foi encenada em São Paulo, alcançando o mesmo sucesso. É importante destacar a estreia de Kalma Murtinho como figurinista desse espetáculo, um trabalho referencial e que a projetou como a maior artista da área em nosso país.

Cacilda Becker, Cleyde Yáconis, Walmor Chagas e Ziembinski partiram para a sua própria companhia. Em seguida, Maurice Vaneau também se despediu da rua Major Diogo. Um novo diretor artístico foi contratado, Alberto D'Aversa. De nacionalidade italiana, acabara de chegar ao Brasil depois de colaborar com o teatro argentino por um bom tempo. D'Aversa era um homem de imensa cultura e enorme experiência cênica. Profundamente humano no convívio. Sob seu comando, os autores nacionais passaram a fazer parte da programação do TBC. Abílio Pereira de Almeida, embora tivesse sido um dos fundadores do importante grupo, só agora voltava àquele espaço.

Abílio foi e é um referencial de comediógrafo, junto a João Bethencourt, Silveira Sampaio e Millôr Fernandes. A primeira peça do Abílio encenada, *Rua São Luís, 27, 8º andar*, resultou num grande sucesso para o autor e para os atores: Nathalia Timberg, Rosamaria Murtinho, Elizabeth Henreid, eu, Egídio Eccio, Mauro Mendonça, Sérgio Brito e, estreando, Raul Cortez. Outro autor brasileiro de excelente acolhida foi Guilherme Figueiredo com *A muito curiosa história da virtuosa matrona de Éfeso*, que teve como protagonista Nathalia Timberg, atriz já extremamente respeitada pelo seu talento, pela sua forte personalidade e qualidade humana. No elenco, Leonardo Villar, Sérgio Brito, Carminha Brandão, eu, Fernando Torres, que sempre esteve presente também como assistente de direção de D'Aversa. Nesse espetáculo, iniciou-se a carreira profissional do jovem e belo Francisco Cuoco.

Seguiram-se, até o fim dos nossos contratos, meu, de Sérgio e de Fernando, as encenações: *Os interesses criados*, do espanhol Jacinto Benavente; nas comemorações de dez anos de fundação do TBC, *Pedreira das almas*, de Jorge Andrade; *Um panorama visto da ponte*, de Arthur Miller, imenso sucesso de público e de crítica com direção magnífica de D'Aversa e extraordinário desempenho dos protagonistas Leo Villar e Nathalia Timberg.

Já estávamos chegando ao fim de 1958. Os últimos anos dessa década foram muito difíceis de atravessar. O projeto do nosso grupo existia apenas na correspondência trocada entre nós e Gianni Ratto.

O mais doloroso foi o início da crise que o Brasil passou a enfrentar com a inesperada construção de Brasília. Apesar da desmedida propaganda oficial, como o slogan fantasioso "50 anos em 5", a verdade é que a classe menos privilegiada, na época, sofreu um desmonte total diante de uma inflação esmagadora. Os salários foram congelados. Estagnados. Sei na pele, na minha e na de minha família, o que foi essa convulsão econômica centrada na ambição, à la Ramsés II, da parte de Juscelino Kubitschek de, em quatro anos, imaginar, projetar e erguer a nova capital de um país, bem como, em apenas um ano, transportar para um espaço praticamente inacessível no Planalto Central toda a administração de uma nação. Deslocar de forma baratinada e tentar organizar a gerência pública de um país em tão pouco tempo para aquela região ainda tão inabitada teve um alto preço. Repercutiu, sim, em todas as direções. E repercute até hoje.

Diante da perda do poder aquisitivo nesse período, o nosso pequeno salário do contrato com o TBC se amesquinhou a ponto de não mais ser pago em dia. Fernando e eu nos vimos obrigados a mudar do modesto apartamento da rua Rocha para uma muito pobre e constrangedora pensão na rua Rui Barbosa. Não podíamos, economicamente, descer mais.

Surgiu, aí, o milagre que nos pôs a salvo.

Sérgio Brito, coordenado com Fernando Torres, Flávio Rangel, Nathalia Timberg, Ítalo Rossi, comigo, e com Manoel Carlos como adaptador e ator, visando um socorro salarial, foi à TV Tupi do Rio e propôs um teleteatro com esse elenco básico. Título: *Grande Teatro*. A proposta foi aceita! Com a coragem e a liderança de sempre, Sérgio apresentou à direção da emissora um estudo central do projeto organizado por toda a nossa equipe.

Naqueles anos, entre São Paulo e Rio, houve o encontro, através do *Grande Teatro*, de uma geração talentosa, batalhadora, conciliadora. A serviço do repertório desse nosso programa, conforme a necessidade de escalação para cada obra, dispunha-se, além de Nathalia e de mim, de atrizes como Glauce Rocha, Tereza Rachel, Suely Franco, Zilka Salaberry, Izabel Teresa, Camilla Amado, Lélia Abramo, Theresa Austregésilo, Yolanda Cardoso, Wanda Kosmo. E dos atores Leo Villar, Francisco Cuoco, Paulo Padilha, Aldo de Maio, Labanca, Guarnieri, Armando Bógus, Raul Cortez, Cláudio Correia e Castro, Napoleão Muniz Freire, Cláudio Cavalcanti, Mário Lago. E Jô Soares — jovenzíssimo, talentosíssimo. Encantador. Já absolutamente protagonista na sua capacidade criadora.

Muitos desse imenso elenco já partiram ou estão esquecidos. Não posso ignorá-los. A dimensão artística de suas vidas reafirma a fundamental importância do nosso ofício. Somos uma geração vocacionada, batalhadora, com a qual o teatro brasileiro sobreviveu em arte e produtividade por tantos anos. Na alegria. Na paixão.

De meados de 1957 até retornarmos para o Rio de Janeiro, continuamos realizando, no TBC, nossos ensaios das tardes de terça a sexta. Fazíamos oito espetáculos por semana. Na madrugada, ensaiávamos o teleteatro. Aos domingos, terminada a segunda sessão, íamos para o aeroporto, onde tomávamos o Douglas, avião que levava três horas entre Rio e São Paulo. Chegávamos às quatro da manhã de segunda-feira. Íamos até a casa de nossas famílias. Às nove, estávamos no estúdio para um primeiro ensaio com a equipe técnica. Outros se seguiam. À noite exibíamos o nosso trabalho ao vivo. Na manhã de terça, voltávamos para o teatro em São Paulo e se cumpria mais uma semana no mesmo ritmo. Com os cachês da Tupi, Fernando e eu nos mudamos daquela triste pensão para um pequeno apartamento em frente ao TBC.

Esse incomensurável trabalho a mais na TV nos amparou e nos ajudou a cumprir o nosso contrato na Major Diogo. Uma de minhas últimas participações no Teatro Brasileiro de Comédia foi na peça *Vestir os nus*, de Pirandello, numa direção extremamente humanizada de D'Aversa. A personagem Ersilia Drei é um dos momentos referenciais de minha vida profissional. Tive nas mãos todos os prêmios de interpretação feminina, quer em São Paulo, quer no Rio. Como símbolo do que São Paulo me deu de amadurecimento em seus palcos, destaco o meu segundo prêmio Saci de melhor atriz. Um prêmio teatral emblemático daquela época. Falo dos meus prêmios sem pudor. Eles são o resultado de um trabalho votivo, honesto e, acima de tudo, congregado.

No final de 1958, Gianni Ratto, para surpresa nossa, para desilusão nossa, ao encerrar a sua ligação com a Universidade Federal da Bahia, nos comunicou que desejava voltar para a Itália. Iria com sua mulher, Luciana Petrucelli, figurinista e artista plástica de grande qualidade. Explicou que, se ele se readaptasse ao país natal, não retornaria. Apesar da solidão que baixou sobre nós, não perdemos a esperança de tê-lo de volta. Entendemos a atitude de Gianni, pois ele estava sem nenhuma perspectiva de sobrevivência no Brasil. Fato inimaginável diante da importância cultural desse artista.

Encerrado o nosso contrato com o Teatro Brasileiro de Comédia, Fernando, Sérgio, Ítalo e eu voltamos para o Rio, onde seguiríamos com nossa vida, sobrevivendo unicamente do *Grande Teatro*, apresentado toda semana na TV Tupi, então sediada no antigo Cassino da Urca.

Os cinco anos que Fernando e eu passamos em São Paulo nos transformaram, nos formaram. As experiências pelas quais passamos nos deram uma qualidade de vida cultural que nos amparou através dos anos. Muitos amigos, tão fundamentais para nós, vieram conosco para sempre. A dificuldade de sobrevivência financeira foi suplantada por uma alegria criativa, esperançosa. E pela sagrada ambição de que, como todas as jovens gerações, a nossa criaria, certamente, um mundo melhor. Foram cinco anos de intenso e histórico aprendizado. Naqueles palcos, aprendemos, em sua essência, que o teatro exige que seus artistas se amparem, se aturem, se integrem — como os imigrantes que, caminhando para outros mundos, outros espaços físicos e emocionais, renascem.

Na imensa saudade daqueles anos, lembro, comovida, a frase de Brecht: "Foram anos duros, mas foram os melhores anos das nossas vidas".

Sérgio sempre comandou esse nosso projeto, o *Grande Teatro*, sem prepotência ou ambição deformada. Um diretor do grupo dizia: "Quero dirigir um Ibsen", outro propunha um Tchékhov, um Dreiser, um Artur Azevedo, um Bernard Shaw, um Machado de Assis, um Goethe, um José Alencar, um Eça de Queirós, um Dostoiévski, um Oscar Wilde, um Nelson Rodrigues. Manoel Carlos, hoje grande e respeitado autor de novelas e séries, garantia a qualidade das adaptações, além de trabalhar como ator.

Nos oito anos que se seguiram, apresentamos cerca de quinhentos teleteatros. Nessa longa jornada encenamos, sem ironia, quase todos os russos, quase todos os ingleses, quase todos os franceses, os americanos possíveis, quase todos os italianos. Só não fizemos Shakespeare e os gregos. Tínhamos audiências monumentais para a época, ainda mais naquele horário, tarde da noite. No fim de cada ano ganhávamos todos os prêmios da imprensa.

Com referência à cultura teatral, sei que criamos plateias enquanto estivemos no ar. O *Grande Teatro* foi para muitos de nós uma oficina de adestramento educacional na dramaturgia e na literatura em geral. Fazíamos questão do melhor texto, da melhor cenografia, do melhor figurino, mesmo que isso encarecesse a produção e reduzisse nossa margem de ganho, já que éramos produtores independentes. Sabíamos que se tratava de um trabalho cultural, profissional, obstinado e louco. Em torno de nós houve um movimento renovador de jovens que nos sucederiam nos palcos. Dou como exemplo o libertário Domingos de Oliveira, o mais existencial criador de sua geração.

Sérgio Brito e Ítalo Rossi. Entre os milhares de pessoas com quem cruzamos, existem algumas nas quais pomos os olhos e dizemos: para sempre!

Sérgio foi um instigador cultural. Não só ator, como também um artista provocador, inconformado. Eu o vi em *Hamlet*, no papel de Horácio, em 1948. Era uma negação cênica espontânea. Concluída a temporada de *Hamlet*, ele fundou, com Sérgio Cardoso e Ruggero Jacobbi, o Teatro dos Doze. Encenaram, entre outros textos importantes, *Arlequim, servidor de dois amos*, de Goldoni. Nessa época, nos encontramos algumas vezes, mas ele partiu para São Paulo. Fernando e eu o reencontramos na Companhia Maria Della Costa, cinco anos depois, onde já era "primeiro ator". Interpretava extraordinariamente o Delfim de *A cotovia*. Era o fenômeno de uma vocação. Os Becketts, alcançados por ele no fim da vida, confirmam um lugar que poucos atingem num palco e não só no Brasil. Desde aquele reencontro, no Maria Della Costa, minha amizade por ele vai além da morte.

Digo o mesmo com relação a Ítalo.

Um dia, para surpresa minha, de Fernando e de Sérgio, ainda em São Paulo, Ítalo nos comunicou que poderíamos contar com ele se um dia tivéssemos um grupo. A partir daí, vivi com Ítalo a maior comunhão cênica da minha vida. Tínhamos uma onda de cumplicidade, um prazer infantil de "brincar juntos", porque o teatro, no fundo, é isto que todos sabem: um jogo. Mesmo no ensaio de um grande drama, havia uma hora em que a gente se olhava e pensava: "Meu Deus, eu não sou nada disso, o que eu estou fazendo aqui?!", e tudo parecia dolorosamente cômico. Existia um humor fulminante entre nós. Ríamos de fazer xixi nas calças. Só nos segurávamos, como crianças assustadas, diante de Gianni Ratto. O que acontecia era que, após aquele descontrole alucinado, ganhávamos força e interação. Humor abre caminhos. Em seguida, baixava uma concentração absoluta. E tudo se corporizava entre nós.

Ítalo querido, muito querido, guardo comigo uma eterna saudade física de você. Em cena e na vida. Era sempre no seu camarim que nos reuníamos. Era lá o nosso centro familiar. O café e todas as nossas confidências. Todas as nossas comemorações. As passagens de texto. Era lá o ombro consolador. Era lá o nosso humor. Isso antes, durante e depois de todos os espetáculos, para nós, inesquecíveis, que fizemos cúmplices por dez anos. Continuamos vivendo, juntos, essa comunhão.

Desde a década de 1950, nós quatro nos víamos e convivíamos diariamente, em cena e fora de cena, em plena comunhão, numa extrema solidariedade, com infinita paciência, liberdade e respeito ao que cada um era como ser vivente e artista.

* * *

Numa expectativa de adolescentes, aos nos juntarmos — Ítalo, Sérgio, Fernando e eu —, criamos, com muita fé, a possibilidade de uma nova e corajosa etapa criativa, diante do sempre esperado retorno de Gianni Ratto. Houve um silêncio de seis meses. Fernando enviou-lhe uma carta. Precisávamos definir o nosso projeto. Ou não. A partir daí, houve uma troca de correspondência entre os dois e, finalmente, ele nos comunicou que decidira voltar e se juntar a nós. Ficamos felicíssimos. Orgulhosos. Esperançosos. E totalmente intranquilos. Nós quatro não tínhamos um tostão. Vivendo daquele minguado cachê da TV, numa utopia absoluta, que jeito iríamos dar para trazer Gianni Ratto da Itália e fundar uma companhia? A quem pedir socorro? A Deus? A Dionísio? A são Genésio, padroeiro dos atores desde o século IV?

Santinho pequenininho
Abençoa nosso ofício.
Que o drama, que o riso
Concedam o nosso pão.
São Genésio, protege tua legião.
São Genésio, concede, a todos, coração.
São Genésio, concede o nosso ganha-pão.

Para alívio geral, o próprio Ratto se responsabilizou por sua viagem. Numa bela manhã, fomos ao aeroporto do Rio recebê-lo de volta. Só alegria e esperança. Não lhe perguntamos por que tinha optado pelo Brasil e ele também nunca nos disse nada a respeito. Para nós, o importante era o aqui e o agora. Organizamos juridicamente a sociedade e, claro, tivemos que escolher um nome. Sérgio, que anos antes fizera parte de um grupo chamado Teatro dos Doze, propôs Teatro dos Sete, porque, além de nós, atores, havia Ratto, Luciana Petrucelli e Alfredo Souto de Almeida, nosso grande amigo e meu antigo colega da Rádio MEC, desde 1945, quando, como já disse, ele se tornou um dos diretores do nosso radioteatro e logo, como encenador qualificado, entrou para o renomado e histórico grupo O Tablado, criado pela autora e diretora Maria Clara Machado. Nas reuniões seguintes, Alfredo nos comunicou que se orgulhava da nossa sociedade mas que o palco não era a sua real vocação. Preferia estar conosco nos bastidores, nas plateias e, por excelência, nas múltiplas reuniões intelectuais e de produções teatrais em sua própria casa junto à sua mulher, a já mencionada autora teatral Maria Inês Barros de Almeida, minha inesquecível amiga. Numa dessas reuniões, entre várias conversas, Ratto nos informou que Luciana permaneceria na Itália e nos atenderia de lá como nossa figurinista, aliás, extraordinária. Conclusão: não mais seríamos sete, e sim cinco. Porém, o nome Teatro dos Sete foi mantido. E as nossas reuniões continuaram infindáveis. Precisávamos de algum lastro financeiro. Obtínhamos promessas e promessas de apoio nessa área. Ouvíamos: "É bastante possível atendê-los", "Que interessante o grupo teatral de vocês", "Do ponto de vista cultural, claro, vamos estudar a possibilidade".

Objetivamente, o que existia eram os bancos, e nós não tínhamos nenhum trunfo, como garantia, para oferecer. O resultado desse nada foi tomarmos coragem diante do fenômeno que era o nosso programa na TV e dele nos valer. A direção da emissora nos tratava com muito respeito pelo resultado e pela qualidade do nosso trabalho, que sempre contava com a presença de um imenso e valioso elenco. Ainda havia um espírito pioneiro, desbravador nas TVs.

Com Sérgio como porta-voz, fomos à diretoria da emissora e pedimos um atendimento cultural mais amplo. Queríamos autorização para nos dirigir aos telespectadores nos espaços de publicidade e informá-los da futura criação da companhia Teatro dos Sete. Para isso, solicitaríamos uma colaboração do público. Os diretores da emissora consentiram e se solidarizaram conosco. A cada intervalo do programa, um de nós quatro fazia o convite ao público: "Este grupo que os senhores acompanham semanalmente desde 1957, com este repertório e com esta qualidade de trabalho" — era mais ou menos isso —, "está se organizando como uma companhia de teatro e, para tanto, estamos pondo à venda assinaturas para quatro encenações com textos da melhor dramaturgia a serem, a seu tempo, divulgados. Se os senhores confiam em nós como artistas, estaremos à sua espera no dia tal, às tantas horas, na rua Siqueira Campos, 18". O endereço era o do local onde na madrugada ensaiávamos as produções do *Grande Teatro*. Montamos sob a marquise uma mesinha com uma placa e, para nossa surpresa e felicidade, vimos durante semanas uma fila comovedora de interessados no carnê. Levantamos um apoio financeiro consistente. Acho que isso não aconteceu nunca, dessa forma, em nenhum lugar do mundo.

Acertamos que, dos cinco sócios, só Ratto seria pago — o quarteto continuaria a viver da televisão a fim de que mais recursos sobrassem para as produções futuras.

Nossas reuniões de trabalho passaram a ser avassaladoras.

Organização de repertório! O autor brasileiro em primeiro lugar, em respeito à visão do nosso diretor e com absoluta e consciente concordância de nós quatro.

Eu tinha acabado de ler *O mambembe*, de Artur Azevedo, texto com que me presenteou meu amigo Sadi Cabral. Trata-se de uma burleta, cuja encenação necessita de cerca de oitenta participantes, grandes cenários e uma pequena orquestra. Nós nos apaixonamos pela peça. *O mambembe* seria o nosso espetáculo de estreia. Expressava com adorável humor e amor essa herança de sobrevivência do teatro brasileiro.

Dentro de uma lógica cartesiana, podíamos ser considerados irresponsáveis, alienados, ao optarmos por uma produção inalcançável do ponto de vista financeiro. Mas a coragem é a base dessa nossa arte. Além de Artur Azevedo, programamos Nelson Rodrigues, Bernard Shaw, Francisco Pereira da Silva e Shakespeare — *A megera domada*, traduzida pelo insubstituível amigo Millôr Fernandes. Com tantas colaborações, ouso dizer que, oficiosamente, esse criador, esse pensador, esse escritor, esse homem da importância de Millôr Fernandes passou a ser o nosso sexto sócio.

A Nelson Rodrigues, solicitamos uma peça inédita. Embora, já na época, fosse considerado um "pornógrafo", um desprestigiado, para nós era o maior autor teatral deste país. Tivemos um encontro amistoso e fiquei encarregada de "demandar" o texto. Francisco Pereira da Silva, apesar de hoje esquecido, é um autor referencial, e, naqueles tempos, muito respeitado pelos jovens e credenciados críticos teatrais e grupos importantes. Como complemento do repertório prometido aos nossos assinantes, uma obra estrangeira: de Bernard Shaw, *A profissão da senhora Warren* — texto que já nasceu clássico. Com alegria e orgulho diante de tamanho sonho e de tamanha audácia, batemos mais uma vez em algumas portas. Não fomos atendidos. Vejo, hoje, espantada, que o nosso extraordinário e amado diretor artístico, em matéria de custos operacionais para montagens daquele porte, era tão inocente e inexperiente quanto nós.

Para *O mambembe*, Gianni Ratto sugeriu que fôssemos ao Theatro Municipal — talvez eles guardassem, no grande almoxarifado, cenários e guarda-roupas já sem utilidade, os quais ele, cenógrafo, e Napoleão Muniz Freire, ator e figurinista do grupo, poderiam adaptar, o que resolveria aquele nosso primeiro embate como realizadores. Marcamos uma hora com o então diretor do teatro, João Lima Pádua. Ao ouvir que queríamos montar um texto de Artur Azevedo, o homem caiu para trás. Que me lembre, ele disse mais ou menos isto: "O Theatro Municipal está completando os seus cinquenta anos de fundação neste ano. Seu fundador, o homem que lutou por este extraordinário teatro, foi Artur Azevedo. Mil novecentos e cinquenta e nove está terminando e até agora não sabíamos como e com quem comemorar, porque o teatro de Artur Azevedo é dado como ultrapassado".

Naquele período, os ventos já sopravam para a chegada de uma crise política e social. Aos nossos amigos atuantes, intelectuais e artistas, animados com a perspectiva de um Brasil moderno, Azevedo parecia definitivamente um dramaturgo obsoleto. Paulo Francis, jovem e relevante crítico contestador, ficou chocado com a nossa escolha: "Vocês estão loucos! Tanto autor importante para se montar e vocês escolhem Artur Azevedo?!". Além disso, a montagem recente daquele texto por Sadi Cabral tinha sido um fracasso.

O mambembe nos arrebatou porque era o que nós éramos. Exprimia com adorável carga poética a luta do teatro brasileiro. A peça foi escrita antes de 1909, ano em que o imenso teatro ficou pronto. Azevedo faleceu em 1908. Não viu seu sonho realizado, mas já pressentia que aquele edifício majestoso nunca chegaria a ser realmente a casa do teatro do nosso país, pela qual lutara toda uma vida. Ao suspeitar que só raramente os elencos brasileiros estariam ali, ele nos deixou, como esperança e protesto, *O mambembe*. Reproduzo aqui um pequeno diálogo da referida peça: no final do segundo ato, estando o elenco mambembe em carros de boi, deixando o acampamento na mata do Alto da Mantiqueira, Laudelina, a jovem atriz, diante da beleza das montanhas, exclama: "Como o Brasil é belo! Nada lhe falta!"; ao que Frazão, o eterno ator-empresário, responde: "Só lhe falta um teatro...". E cai o pano.

Ratto fez uma pesquisa exaustiva para desvendar a atmosfera da Capital Federal e a paisagem do interior do estado do Rio de Janeiro na virada do século XX. Andou até se exaurir pelo centro do Rio, olhando de perto os velhos prédios da rua do Lavradio, da Regente Feijó, do largo de São Francisco, da rua Buenos Aires, que guardam até hoje a arquitetura da época. Para as músicas e o cateretê, que se dança numa das cenas, contou com o compositor e musicista Almirante e com a musicóloga Oneida Alvarenga. Conseguimos ainda algumas canções originais de Assis Pacheco e outras composições de autoria do maestro Kaluá, também regente de nossa pequena orquestra. Ratto criou, inspirado, uma dinâmica de encenação contemporânea, preservando, porém, a essência poética de então. E, ignorando propositadamente as dificuldades que sempre nos regeram, nós, "Os Sete", nos identificávamos, e entendíamos o quanto éramos mambembeiros.

Ensaiamos três meses até a exaustão e estávamos prontos para a grande estreia. Seria a primeira vez que aquele imenso elenco enfrentaria aquele imenso palco e aquela "descomunal" plateia de 2300 lugares. Não era moda usar microfones. Nem pensar. Seria ofender a capacidade vocal de um ator. Para pânico generalizado, não dispusemos do espaço para o nosso ensaio geral. Em cima da hora, nos comunicaram dessa impossibilidade em razão de compromissos internacionais assumidos com artistas importantes do além-fronteira. Entendemos que estávamos, ali, apenas cumprindo uma obrigação cívica, uma homenagem oficial a um praticamente esquecido autor brasileiro. O espetáculo tinha de ser feito sem maiores demandas. Pouco antes do início da apresentação, Ratto reuniu o elenco de oitenta participantes, todos muito tensos diante da enorme plateia, e ordenou: "Caia o que cair, entre o que entrar, vocês continuem no texto e nas canções".

E, milagre de Deus, de Dionísio ou de são Genésio, o espetáculo saiu arrebatadoramente perfeito, como se estivéssemos em cartaz há meses. Ao abrir-se o pano, naquele palco imenso, totalmente vazio, entra uma atriz negra que atravessa a cena cantando, sem acompanhamento, um pregão de rua. Desce então o primeiro telão. É a casa de Laudelina, a protagonista, onde o ator-empresário Frazão a convida para ser atriz da sua companhia de teatro. Ela e dindinha aceitam. Desce o segundo telão, representando um botequim do centro do Rio, núcleo social, comunitário, dos mambembes. A monumental plateia começou um aplauso fervoroso. O dono do botequim, interpretado pelo excelente ator português, já de meia-idade, Armando Nascimento, diz, com seu sotaque, para um freguês qualquer: "Vocês veem dois artistas dizerem-se horrores um do outro: parecem inimigos irreconciliáveis... mas a primeira desgraça que aconteça a um deles, abraçam-se e beijam-se. Boa gente, digo-lhes eu, boa gente, injustamente julgada". Aí, entro eu, a muito jovem atriz amadora Laudelina Gaioso, vinda de um grupo do Catumbi — personagem baseada na vida de Lucília Peres, com quem, já idosa, eu estreava em 1952. Uma coincidência inesperada. A personagem Laudelina é contratada junto com sua dindinha, interpretada pela veterana e maravilhosa comediante Grace Moema. A dindinha se viu, felizmente, obrigada a acompanhar a afilhada, agora atriz profissional, que não poderia jamais participar de uma excursão fora do seu bairro, longe dos seus olhos. O noivo da mocinha, colega amador do mesmo grupo, vendo-se obrigado, como cavalheiro, a cuidar das duas, se ofereceu como ator. E o rapaz, papel de Sérgio Brito, foi aceito por Frazão, que precisava de um novo galã. O elenco, acomodado nas mesas e no balcão, observa Laudelina Gaioso e pergunta: "Quem é? Quem é?...". E Laudelina, na sua primeira canção, se apresenta aos futuros companheiros de cena:

Sou uma simples curiosa
Que se quer fazer atriz.
Por não ser pretensiosa,
Eu espero ser feliz.
Tudo ignoro por enquanto
Da bela arte de Talma,
Mas prometo estudar tanto

Que o povinho enfim dirá:
(Entra o coro do elenco)
Elle a quelque...
Quelque chose...
Elle a quelque chose là!

O que me alenta e consola
Na carreira que me atrai
É sair da mesma escola
De onde tanta artista sai.
Quanta moça, analfabeta,
Que não sabe o bê-a-bá,
Fez-se atriz, atriz completa
E do público ouviu já:
(Todo o elenco canta, com alegria, aceitando a nova atrizinha)
Elle a quelque...
Quelque chose...
Elle a quelque chose là!

E veio um impensado aplauso. Eu nunca tinha vivido tamanho choque. A querida Grace Moema sussurrou: "Agradece". Eu pensava que só se devia agradecer no final da peça. Grace, atriz vinda de um teatro popular, comandou em voz alta: "AGRADECE". E eu, com o coração na boca, agradeci. Ítalo, que fazia o empresário-ator, caminha para o proscênio e dá início a seu monólogo, em que diz: "E levo esta vida há trinta anos". No fim da fala, aplausos e aplausos. E as palmas continuaram, arrebatadas, a cada cenário, a cada cena. Criou-se um frenesi, uma eletricidade emocional naquele enorme teatro —

inalcançável orgulho arquitetônico, nessa área, em nosso país. No fim do espetáculo, lenços acenavam para nós. Toda a plateia de pé. E ninguém ia embora.

A direção do Municipal, diante do imenso sucesso, estendeu a nossa temporada por mais três semanas naquele palco. Fato raríssimo, ainda mais por se tratar da montagem de um texto brasileiro dito ultrapassado.

Penso que o comovente final, criado pelo Ratto, detonou a comunhão de palco e plateia ao fazer descer um painel descomunal representando a fachada daquele edifício. Da esquerda do palco, o elenco sai para o proscênio, arrastando suas trouxas e trouxas, suas malas e malas. Os mambembeiros caminham para o centro daquele espaço e olham desiludidos — e põe desilusão nisso — para o painel do frontispício do Municipal no qual lhes era negado entrar. De cabeça erguida, dirigem-se para a direita, seguindo rumo aos bastidores. Para trás, em total solidão, permanece o painel, cuja iluminação, muito lentamente, vai baixando até desaparecer. Tempo. A plateia se ilumina. E, sem exagero, delira.

Nunca mais vi nada igual.

Já era madrugada, e o generoso congraçamento entre plateia e elenco se estendia pelos corredores, pelos halls, pelos bastidores e camarins. Até o término da temporada, víamos filas de espectadores pela avenida Rio Branco afora. E, na plateia, sempre acenos de lenços e lenços, num ritual de união. E de adeus.

Como os atores daquela trupe mambembe, e através do texto de um autor fiel à nossa brasilidade, nós, cidadãos desta nação, fomos levados para o "não espaço" de uma nova capital, tão alucinadamente inventada e ainda mais loucamente construída.

Desde o tempo mais arcaico, o teatro, mesmo desacreditado como agora, sempre foi simbolicamente poderoso. Como num milagre, durante três semanas, naquele imenso tablado, aconteceu a inconsciente despedida de uma multidão à capital social e política do Brasil. Eram lenços, lágrimas, bravos. Um intempestivo adeus a uma época. A uma era.

No último mês do ano de 1959, a carreira de *O mambembe* prosseguiu no Teatro Copacabana, com plateia de quinhentos lugares, situado no interior de um imenso e sofisticado hotel de gloriosa fama internacional, o Copacabana Palace. O elenco de oitenta contratados mal cabia naquele pequeno palco. A batalha pela qualidade artística continuou e a nova casa permaneceu lotada, mas a transcendência, a comoção mística que houve naquele outro palco mágico, sonhado e realizado por Artur Azevedo, não mais se fez presente.

Cumprindo o compromisso das assinaturas com os espectadores do *Grande Teatro*, e dando prosseguimento à temporada no Copacabana, estreamos, em abril, *A profissão da senhora Warren*, de Bernard Shaw. Direção e cenários de Gianni Ratto. Figurinos de Luciana Petrucelli, enviados da Itália.

A montagem foi mais um sucesso, que ficou três meses em cartaz. A história de uma poderosa cafetina que se arrepende de ter criado a filha em sólidos e respeitáveis colégios, protegida do universo dos puteiros gloriosos da alta burguesia e dos tronos europeus, fascinou o público. Autores estrangeiros e brasileiros com carga social já eram avidamente consumidos por nossas plateias. Nós cinco, sem demagogia, sem radicalismo, como atores e produtores, sempre buscamos um repertório humanista, reivindicador de justiça, de solidariedade social.

Com os aplausos calorosos invariavelmente presentes nas duas primeiras realizações, não podíamos imaginar a rejeição demolidora que enfrentaríamos com *Cristo proclamado*, de Francisco Pereira da Silva, autor de uma dramaturgia denunciadora — socialmente falando —, uma dramaturgia nordestina, ibérica. Essa montagem constituiu um terceiro e inapelável desafio de produção. Na companhia do autor, Gianni Ratto viajou para o Piauí com três assistentes, entre eles a musicista Geni Marcondes, com quem eu já tinha convivido durante anos na Rádio MEC. Foram se impregnar do universo retratado no texto. Houve uma pesquisa minuciosa do modus vivendi da região, incluindo um levantamento de incelências e modinhas folclóricas. Além de um elenco de 33 atores e seis técnicos, a peça, cujo principal personagem é um honesto candidato político que representa Cristo na via-sacra, exige ser realizada como um auto medieval, num circo ou numa praça. O cenário de Ratto, sem pano de boca, compreendia tão somente uma rampa e um telão ao fundo, revestidos de juta, em tons de terra, áridos como o sertão. Decorre a trama nos preparativos para essa via-crúcis, quando o bom e digno candidato a prefeito no papel de Cristo será morto, na cruz, por um tiro. Quem se elege no importante cargo é o mandante do crime.

Cristo proclamado teve uma consagração da crítica. E uma trágica ausência de público.

O cenário de uma crueza absoluta e os atores miseravelmente vestidos denunciavam o abandono social, tema da peça, e isso produzia um contraste gritante com o ambiente de veludos e mármores do luxuosíssimo hotel, muito frequentado, na época, pela alta elite endinheirada, pelos poderosos políticos e pelo jet set internacional. Os dez, quinze espectadores de uma sala tão sofisticada ficavam exasperados. Alguns saíam no meio da encenação e pediam a devolução do dinheiro do ingresso na bilheteria, alegando que não iam ao teatro para "ver gente suja e fedida".

No final da peça, o ator Renato Consorte, que fazia o apresentador do espetáculo no circo, envolvendo-se no manto vermelho de Jesus, dizia: "Senhoras e senhores, o crime aconteceu representando a vida de Cristo. Imaginem o dia em que eu pegar este manto e encenar *Roma, a incendiada*!". Nem sequer a cor da capa foi perdoada: após uma das sessões, em cuja plateia estava o deputado federal e candidato a governador da Guanabara Carlos Lacerda, houve um debate acalorado. Indignado, Lacerda deixou o teatro afirmando que o manto vermelho demonstrava que éramos comunistas.

Já sem fôlego financeiro, tiramos o espetáculo de cartaz duas semanas depois. Nós nos perguntávamos, como artistas, se o erro seria nosso ou se a alegria dos "anos dourados" comandava de uma forma mística os brasileiros diante do slogan "50 anos em 5". O Brasil já olhava Brasília como a nossa Califórnia.

Ficamos entre a cruz e a espada. A direita achava que *Cristo proclamado* era coisa de comunista, e a esquerda nos recriminava por termos interrompido a apresentação de uma peça extraordinária, de cunho social, a qual deveríamos manter em cartaz a qualquer custo.

Traumatizados com o fracasso, para nós algo intempestivo, inexplicável, e diante do fato de Nelson Rodrigues ainda não nos ter entregado a peça prometida, nós cinco, com Gianni Ratto no comando, arregimentamos novamente — não tínhamos outra saída — aquele elenco de oitenta participantes e remontamos O *mambembe* no Teatro Municipal de Niterói, um belo e importante espaço fundado por João Caetano no século XIX. Ali permanecemos por um mês, enquanto ensaiávamos, no sufoco — e à espera de um socorro financeiro —, o vaudeville de Feydeau, *Com a pulga atrás da orelha*, que Ratto já dirigira na Companhia Maria Della Costa. Preparamos esse espetáculo com vinte contratados, entre atores e técnicos, e o estreamos no Teatro Ginástico, no centro do Rio, aceitando pagar 30% do bruto da bilheteria. Sem discussão.

Mesmo no desmonte de nossas finanças, Ratto fazia sua retirada, já que aquele era seu único trabalho. Nós comíamos do *Grande Teatro Tupi*. Não sei como Sérgio, Ítalo, Fernando e eu dávamos conta da nossa exaustão, pois além de não termos nunca uma segunda-feira livre, ensaiávamos os programas na madrugada. Sempre ao lado dos mais representativos colegas.

Partimos, então, para o nosso primeiro empréstimo bancário. Na época, não tínhamos conhecimento de patrocínios, de verbas estatais. Se é que existiam. A dura e amarga função de produtor executivo fora assumida, desde a nossa estreia, por Fernando, que não tinha experiência e muito menos vocação para exercê-la. Aliás, nós cinco éramos completamente despreparados nessa área. Hoje, sabemos na pele e na ponta do lápis que nenhuma produção teatral é segura. Não importa se é alternativa, contestadora, careta. Cada um tem o direito de montar o que prefere, mas deve estar ciente de que do ponto de vista econômico corre o risco de morrer na praia. Mesmo quando se salvar artisticamente. E naquele momento só poderíamos seguir se um banco nos acudisse. Sentíamos medo, é claro. Ninguém faz teatro sem medo, ainda que o faça na extrema coragem. O primeiro socorro veio através do Banco Nacional, na ocasião empenhado, generosamente, em atender a cultura e o esporte.

Ratto sempre foi um artista absoluto. Como diretor artístico, ele nunca avaliou conosco o custo de pôr em prática sua visão de espetáculo. Nós quatro também, como sócios e discípulos, jamais levantamos essa questão, pois a realização artística seria inarredável. Fomos ao banco e pedimos o possível. Sabíamos, sim, que em tais tratos os juros eram sagrados.

No dia 7 de outubro de 1960, estreamos o vaudeville e durante nove meses tivemos o milagre de um imenso público e de uma crítica magnífica. Seiscentos espectadores por sessão. Éramos um elenco de comediantes natos naquele jogo cênico, diabólico, de tanto entrosamento. Aqui se costuma torcer o nariz para o vaudeville, mas nós o encenamos com o maior orgulho. Quem dá conta de um Feydeau está pronto para um Beckett.

Gianni Ratto deu início, então, aos ensaios de *A megera domada*, de Shakespeare. Nos papéis titulares, eu e Osvaldo Loureiro. Para completar o elenco, houve mais contratações. No mesmo período, Ratto organizou o seu curso de interpretação e cenografia, pelo qual passaram minha amiga Irene Ravache, Tetê Medina, Carlos Vereza, Gracindo Júnior.

Já estávamos em 1961 quando recebemos, da Bienal de São Paulo, o convite para participarmos de *Apague meu spotlight*, de Jocy de Oliveira — primeira obra eletroacústica multimídia a ser apresentada no Brasil, com trilha do consagrado Luciano Berio. Ratto assinou a direção e a cenografia. *Apague meu spotlight* fez parte da programação de música contemporânea apresentada em São Paulo e no Rio de Janeiro durante uma semana. Nossa montagem teve apenas, pela complexidade, duas exibições, uma em cada cidade.

Por incrível que possa parecer, para um acontecimento de tanta importância artística na nossa trajetória profissional, não interrompemos nenhuma de nossas atividades no Teatro Ginástico.

Nelson Rodrigues nos entregou enfim, *O beijo no asfalto*. Há um depoimento assinado pelo Nelson sobre esse momento:

> *Eu gosto que me peçam textos, que exerçam pressão. Fernanda Montenegro passou oito meses telefonando para mim para eu escrever uma peça. Achei linda a obstinação da "Musa Sereníssima". Ela achava que era inútil, mas insistia. O telefone tocava absolutamente insistente no fundo da redação. Então eu ia atender e era ela. E eu ficava inteiramente em delírio. Eu ficava indefeso porque achava que ela merecia um prêmio. Isso me dava, assim, uma ternura piedosa pela Fernanda. Fiquei deslumbrado quando fiz a peça. Estava cumprindo minha palavra. Eu subi no meu próprio conceito quando entreguei à Fernanda* O beijo no asfalto.

Seria a primeira direção de Fernando Torres.

Na nossa inexperiência como produtores, tiramos o vaudeville de cartaz quando o teatro ainda lotava, porque achávamos que tínhamos que cumprir o repertório prometido aos assinantes do *Grande Teatro Tupi*, embora esses assinantes nunca reclamassem. Confiavam. Não havia necessidade de pressa.

Estávamos em julho de 1961. A estreia de *O beijo no asfalto* nos deu mais um momento consagrador. Contou com sessões sempre lotadas em que, quase diariamente, houve protestos violentos a favor e contra. Parte do público gritando: "Tarado!", "Protesto em nome da família brasileira!", "Merece cadeia!", "Pornógrafo", e a outra parte mandando um "cala a boca" aos berros. Curioso notar que não eram as questões políticas, ideológicas que magnetizavam as pessoas. Jamais alguém chamou o autor de reacionário, traidor da pátria, entreguista. Os protestos sempre foram de cunho moral.

Na hora da gritaria, Nelson, diariamente presente na plateia, ficava quieto. Mas Jofre, seu filho, muito jovem, tinha que ser contido, pois, quando havia manifestação contrária, partia para cima do espectador, pronto para enfrentá-lo. Parávamos o espetáculo. Terminados os protestos, tudo acalmado, recomeçávamos.

O beijo no asfalto estreou numa época de grande polarização ideológica. Como autor, o mais importante e prestigiado referencial dramático de esquerda no Brasil, naquele momento, era Dias Gomes, que escrevia também novelas. Dias Gomes, segundo Nelson, pelo fato de ser casado com a famosa novelista de TV Janete Clair, "não era o melhor autor nem na casa dele" — Nelson não deixava barato.

O beijo no asfalto é uma obra-prima. Ao contar o sensacionalismo sádico que se abate sobre um pobre homem ao beijar um moribundo caído na rua, a pedido do semimorto, a peça fala de preconceitos, de choques familiares, da violência humana, mas também do amor e da misericórdia. Arandir, Aprígio, Cunha, Selminha e Amado Ribeiro estão na galeria dos grandes personagens nelsonianos. Diante da qualidade tão ampla desse texto, nós passamos por cima de qualquer contestação política em torno de Nelson Rodrigues. Nosso autor, que ia todos os dias assistir aos ensaios, não dava palpite. Só nos cumprimentava com sua voz de barítono: "Glorioso elenco". Eu era sempre "Sarah Bernhardt em primeira audição".

Na época, o diário *Última Hora*, onde Nelson escrevia e do qual foi um dos fundadores, tinha enorme importância jornalística e política. Publicação total de esquerda. E de grande circulação. Nos diálogos de *O beijo...*, esse jornal era muitas vezes mencionado como um pasquim de ínfima categoria. Fernando pediu ao autor que obtivesse uma autorização para tanto. Não queria correr risco algum. Nelson trouxe o documento. Um dos personagens era Amado Ribeiro, então o maior repórter policial do Rio. Quando lhe faltava assunto para a sua coluna, ele o fabricava, e sempre de forma chocante, contundente. Sua violenta coluna vendia barbaramente. Na peça, o personagem Amado Ribeiro é nefando, abjeto. Fernando fez questão de que ele assistisse a um ensaio. Ao se ver retratado em cena, o repórter declarou, rindo e orgulhoso, que, na vida real, ele era muito pior que aquilo. Não fez a menor objeção a que Nelson usasse seu nome no personagem. Assinou um "de acordo".

O público se espantava e gargalhava com as referências desabonadoras ao jornal. Após a estreia, surpresa: Nelson comunicou a Fernando que Samuel Wainer, o proprietário do periódico, solicitava a retirada do nome *Última Hora* da peça. Fernando recusou. Existia uma autorização.

Nas crônicas de Nelson em geral, na coluna "A vida como ela é" e nos folhetins das Suzanas Flags da vida — seu pseudônimo para os romances que escrevia —, ele sempre fez menções muito ácidas, agressivas, embora humorísticas, ao dito periódico e nunca houve problemas. Mas, no palco, seus comentários incomodaram e muito — o que mostra a força, já hoje impensada, do teatro brasileiro naquele momento. E o texto seguiu como fora escrito. Reservadamente, agradecemos ao jornal.

Esperançosos com a certeza de que finalmente o sucesso de *O beijo no asfalto* nos daria o socorro de uma permanência em cartaz de pelo menos seis meses, o que garantiria maiores cuidados na preparação do elenco para *A megera domada*, o Brasil foi sacudido, desmontado, agredido, com a renúncia daquele desqualificado político, Jânio Quadros, após somente sete meses na Presidência. Uma brutal convulsão parou o país. O que seria de todos nós?

Essa renúncia abriu as portas de um descomunal inferno político, ideológico, econômico, financeiro, existencial que duraria 21 anos.

O vice João Goulart estava na China, em visita oficial. Havia um conflito entre os que queriam, com justiça, Jango no poder e os que não queriam. O centro do Rio virou uma praça de guerra, invadido por protestos, a favor de Jango. Em contrapartida, vieram a violência da cavalaria em cima dos transeuntes, prisões em camburões, pancadaria com cassetetes, gás lacrimogêneo. O Teatro Ginástico, que ficava a poucos quarteirões da embaixada americana, se esvaziou completamente. Fechamos as portas.

O elenco fora contratado por um ano e, naquele momento, estava previsto um acerto de mais seis meses na ocupação do Ginástico. De portas fechadas, e em meio à turbulência política, tentamos reconversar os 30% do aluguel. Não obtivemos resultado.

Fernando foi então ao Teatro Maison de France, também no centro, e a direção desse espaço respondeu que nos aceitaria a 8% do líquido da receita. Não era ainda um teatro tão popular quanto o Ginástico, mas nos oferecia condições, eu diria, de sobrevivência. Lá relançaríamos *O beijo no asfalto* assim que a situação política se apaziguasse. A mudança de palco exigiria um corte de quarenta centímetros de cada lado do telão de fundo do cenário, assinado por Gianni Ratto. Ele se recusou a fazer a alteração.

Nós quatro ficamos sem ar. O que fazer? Ratto era o nosso condottiere. Com a peça ainda inexplorada, aquelas plateias lutando diariamente por cada poltrona, *O beijo no asfalto* se encerrou bem antes do previsto. Sem recursos, nos vimos obrigados a suspender a produção de *A megera domada* e o curso de interpretação. Nas ruas, as contestações políticas continuaram com a mesma violência. Fomos, então, em busca de outro texto nessa nova realidade politicamente assustadora. Na época, o presidente podia pertencer a um partido e o vice a outro, mesmo que as posições dos partidos fossem antagônicas. Era esse um dos tantos entraves que o Brasil estava vivendo.

No dia 2 de setembro de 1961, procurando uma solução que acalmasse os militares e, principalmente, em que prevalecesse a democracia, o Congresso aprovou o regime parlamentarista. Com Tancredo Neves como primeiro-ministro! Nada se acalmou. Quanto a nós, ainda tínhamos, ao menos, como pagar os juros da dívida bancária. Mas até quando?

Nosso espetáculo seguinte foi definido. Seriam três encenações num só programa: um Cervantes, um Molière e um Martins Pena. Título: *Festival de comédia*. Depois de *O mambembe*, esse foi o nosso mais ambicioso, requintado e, dadas as circunstâncias, oneroso espetáculo. Para nós, atores, foi um coroamento emocional, técnico, um grande ganho artístico, enfrentar três autores tão fundamentais em suas culturas. E

Ratto nos deu subsídios literários, pictóricos, musicais, históricos — tudo que ampliasse a nossa sensibilidade, a nossa vivência cênica e educacional. E chegamos ao fim de 1961, no Teatro Maison de France, com mais uma encenação consagrada pela crítica e uma plateia mediana. As ruas com seus protestos e movimentos políticos eram muito mais vitais e reivindicadoras.

Nos dias de hoje pode parecer um sonho ou um descomunal pesadelo o fato de um grupo de teatro, no Brasil, realizar, em 23 meses, um texto de Artur Azevedo, um de Bernard Shaw, um de Chico Pereira da Silva, um remonte, uma peça de Jocy de Oliveira com música contemporânea de Luciano Berio, um vaudeville, um Nelson Rodrigues, a preparação de um espetáculo shakespeariano, um curso de teatro, um Martins Pena, um Molière, um Cervantes e um Pirandello. Para esse milagre nós nos endividamos além de nossas forças. E daí? Valia a nossa arte. E a nossa inexperiência.

Apesar de todo o desassossego político, em maio de 1962, nos festejos do Dia do Trabalhador, fomos convidados a participar da programação organizada em Curitiba. Nessas comemorações apresentamos o *Festival de comédia* nos alicerces do Teatro Guaíra, que tinha capacidade para 2173 pessoas. Voltamos ao Rio e, em 10 de maio de 1962, no Teatro Maison de France estreamos mais um espetáculo: *O homem, a besta e a virtude*, de Pirandello. Ótimas críticas, público nenhum. Ainda dentro da temporada desse Pirandello, remontamos o *Festival de comédia*, e fomos para São Paulo por apenas um mês, no Teatro Maria Della Costa. Extraordinárias críticas. Pouquíssimo público. Retornamos ao Rio com *O homem, a besta e a virtude* por mais um mês — e encerramos a temporada.

Não havia como dar início a novas montagens. Tínhamos nas mãos um repertório a ser explorado — quem sabe? — em outras cidades do país. Por que não excursionar? Na crise geral, já não era possível organizar uma produção atrás de outra. Já estávamos seriamente empenhados no bendito Banco Nacional.

Chegou-nos naquele justo momento mais um convite da Secretaria de Cultura do Paraná, onde o governador Nei Braga criara um ótimo plano cultural, teatral, apesar da crise política. Participaríamos do Festival Teatral Paranaense. Como as despesas da temporada curitibana estariam cobertas, decidimos estender a excursão até Porto Alegre, sendo que esse desdobramento seria, ida e volta, por nossa conta. Não tínhamos outra saída. Havia um elenco contratado. E pior: a TV Tupi não renovou conosco o contrato do *Grande Teatro*. De onde tirar nossa sobrevivência, a não ser enfrentando a excursão para o Sul?

Preparávamos essa saída do Rio quando um fato especial, inesperado, me desafiou nessa situação tão extremada. Victor Berbara, um publicitário e produtor de teatro — cujos sócios eram Oscar Ornstein e o famoso, na época, colunista social Ibrahim Sued —, me chamou para um almoço e, totalmente esperançoso, me convidou para ser a personagem Eliza Doolittle, protagonista da grande comédia musical *My Fair Lady*. Seria a primeira produção da Broadway a ser trazida para cá, respeitando toda aquela pompa e circunstância. O convite, segundo Victor, era irrecusável. Eu recusei. Sem nenhuma dor. Como seria viver longe do meu grupo, dos meus sócios, dos meus amigos? Inimaginável. Agradeci. Já estávamos, ansiosos e felizes, de partida para uma esperançosa salvação econômica.

Por questões financeiras, Gianni Ratto não nos acompanharia. Confiou que daríamos conta do recado.

My Fair Lady, sem dúvida, foi o maior, o mais fiel e o que de melhor se produziu em Londres naquele tempo em matéria de musical. De Londres para a Broadway. Da Broadway para o Brasil. A protagonista foi Bibi Ferreira, extraordinária, para sempre lembrada nessa sua criação. Única. Jamais eu alcançaria tal status.

Nessa nossa programação, propusemos um acordo com Curitiba. Dividiríamos a nossa excursão em duas etapas, tanto na ida quanto na volta: primeiro de avião, com tudo pago, até a capital paranaense. A partir dessa cidade seguiríamos para Porto Alegre por nossa conta. Os caminhões e o elenco — de ônibus — sob nossa responsabilidade, aos cuidados de Sérgio Brito. Na nossa Kombi, a partir do Rio, Fernando com Cláudio Correia e Castro se revezando no volante. Com Ítalo e eu nos bancos de trás. Éramos ao todo catorze atores, três técnicos e uma camareira.

E lá fomos nós. Com todos em Porto Alegre, apresentamos no histórico Teatro São Pedro os três espetáculos do nosso repertório, entre meados de setembro até novembro. Nossas produções foram recebidas com críticas memoráveis e imenso público. Uma aceitação fraterna — gaúcha. Fernando e eu fizemos amigos aos quais nos ligamos até hoje. Alguns já partiram, lamentavelmente. A partir dessa temporada, Porto Alegre é o meu ideal de cidade.

Como ainda não existia no Brasil uma TV central, cada região tinha sua própria programação. Isso nos possibilitou produzir para um canal local seis textos do *Grande Teatro*, cuja remuneração usamos para auxiliar no imenso orçamento dessa excursão.

Há um fato a destacar como visão de elenco irmanado: todos nós nos hospedamos numa honesta e modesta pensão que, felicíssima, fechou conosco. Moramos juntos naquele período numa absoluta confraternização. Como uma família circense. Ou mambembe.

E engravidei!

Fernando e eu, juntos já há nove anos, sonhávamos em ter um filho. Não nos abríamos muito sobre o tema, já que Fernando achava que ele poderia ser a causa da demora e eu, claro, achava que a causa era eu. Diante da ausência de menstruação, imaginei o início de um mal, "tipo câncer". A dramaticidade, às vezes, invade nossa vida. Na época, o exame de gravidez era feito em laboratório. Fernando, ao me ver tão ansiosa, insegura, fez questão de ir buscar o resultado. Voltou com o laudo. Abri o exame e lá estava escrito: positivo e, junto, um anel com uma pequena pérola.

Fui tomada por uma emoção descontrolada. Um estado de arrebatada beatitude. Era uma sensação de total e impensada, desmesurada, integração com a vida. Andava pelas ruas e chorava. Meu ventre parecia que existia independente de mim.

Como no nosso elenco a maioria era de solteirões, todos festejaram a notícia como se se tratasse de um filho bem-vindo daquela trupe.

E, aí, pânico total — veio um sangramento.

Já estávamos no fim da excursão em Porto Alegre. O médico explicou que eu não poderia tomar avião — existia risco de aborto. Havia ainda a temporada em Curitiba. Sequer nos passou pela cabeça suspendê-la. Para todos nós, essa excursão era o pão nosso de cada dia pelo menos até voltarmos ao Rio. Passei a viver surtada.

Cheguei a Curitiba acomodada na Kombi. Como já tínhamos apresentado o *Festival de comédia* ali, nas comemorações de Primeiro de Maio daquele ano, nosso repertório se restringiu a Nelson Rodrigues e Feydeau. Grande recepção ao nosso trabalho — de público e crítica. A maior parte dos meus dias passava deitada, só levantando para o espetáculo, cujas marcações cênicas foram acalmadas.

Surpresa confortadora, diria absurda, foi sabermos que se encontrava na cidade, para uma palestra no consulado britânico, o grande diretor e ator inglês — e revolucionário cênico — George Devine, criador do importante e contestador Royal Court Theatre. Pela força de Devine, Laurence Olivier largou, depois de anos, o tradicional Old Vic e se juntou a ele e a seu elenco. Esse grupo deslanchou uma moderna conceituação cênica e autores da importância de Osborne e Harold Pinter, entre outros. Como não conhecer esse homem?

Fomos Sérgio, Ítalo, Fernando, Cláudio Correia e Castro e eu — me segurando — à sua palestra. Quando o cumprimentamos, ele confessou que, ao nos olhar sentados naquela pequena sala entre as poucas pessoas presentes, sentiu, muito feliz, que éramos atores.

Devine foi nos ver em *Com a pulga atrás da orelha* e, entusiasmado, admirado até, comentou a nossa agressiva liberdade cênica diante de um vaudeville, um fechado gênero clássico tão francês. Parabenizou a todos pela dinâmica e pela total integração técnica do elenco. Nos dois dias em que esteve lá, juntou-se a nós como se fôssemos — e éramos — uma família da mesma fé.

Encerrada a temporada em Curitiba, acomodada mais uma vez na Kombi, voltamos para o Rio. Corri para o obstetra que fizera o parto de minha grande amiga Maria Inês Barros de Almeida, o dr. Luís de Freitas Guimarães. Ele comunicou, então, que, além da gravidez, eu estava com um tipo de tumor no ovário direito, que cresceria e sufocaria o feto. Esse médico foi taxativo: tentar salvar a gravidez só arriscando uma cirurgia, e só raramente a gravidez prosseguiria.

Era dezembro, pedi a ele que me desse pelo menos o Natal com o nosso filho. Fernando vivia o mesmo desespero. No dia 26 de dezembro me internei. Operei. A gestação continuou! Que alívio! Que luz imensa no fim daquela gruta!

Um mês depois, amanheci pintada de manchinhas avermelhadas. Voltei ao médico. Diagnóstico: rubéola. Para piorar as aflições, era o tempo da talidomida e similares, substâncias que produziram tantas malformações em fetos. Havia pavor no ar. O dr. Luís, que eu ouvia com total crença, afirmou que o meu neném não corria perigo nenhum, pois eu já chegara ao terceiro mês de gravidez. Ele era muito católico. Não sei se colocou a sua fé acima da profissão, mas o fato é que me senti segura. Confiei. Os quatro primeiros meses, eu os passei praticamente na cama, e só no fim daquele período o sangramento estancou.

Saltei da cama e fui estrear o nosso programa *Grande Teatro* na TV Rio, com a peça *Seis personagens à procura de um autor*, de Pirandello.

No dia 8 de julho de 1963, finalmente o nosso menino, Claudio, chegou. Louvada seja a força vital do ser humano.

Não ter filhos seria, para nós, uma frustração existencial. Não é uma "frase feita", não. Para muitas de nós, mulheres, é impossível calar o instinto materno. Pode-se dele abrir mão, claro. Por n motivos. Esse é um direito. Esse impulso pode até nem existir numa mulher. Até porque botar filho no mundo é uma responsabilidade incontornável. Ou cuidando, ou largando.

Para mim, ao dar à luz — grande expressão —, tive a consciência e a paz de ter passado adiante a minha centelha de vida, detonada desde a lama primeva há milhões, milhões e milhões de anos. Eu, junto com meu homem, trouxe a este nosso universo dois seres humanos, Claudio e Nanda. Passei adiante a minha espécie. Não neguei a minha carne. Não falo por orgulho. Falo por ter conseguido dar conta do que pedia minha natureza.

Naquele ano, João Goulart assumiu poderes plenos como presidente da República. Mas a crise era geral. Havia uma direita avassaladora e uma esquerda sobrevivendo, ou não, heroicamente, em muitas direções. Algumas extremadas.

A TV Rio, na época, era o canal mais importante da Guanabara. Também produziríamos algo novo: novelas. Autor: Nelson Rodrigues. Sérgio e Fernando, além de atores, se revezariam na direção. Ítalo e eu estaríamos à frente dos elencos. Quanto ao Nelson, mais uma vez não levamos em conta a sua visão política sobre o momento radical que se vivia. Ele seria, sim, o autor dos folhetins a serem representados, e ponto-final. Foi outro encontro marcante entre nós. Em sua novela de estreia, *A morta sem espelho*, fui a ingênua heroína. Ítalo era o vilão e Paulo Gracindo se juntou a nós, em seu primeiro trabalho na TV, no papel de meu pai. Nas cenas, eu era focalizada só em close, ainda devido a minha bela e gloriosa barriga. O tema musical da novela levou a assinatura de Baden Powell, com letra de Vinicius de Moraes.

A história era ingênua, mas por ser de Nelson Rodrigues, a quem viam a cada dia como mais reacionário, mais pornográfico, mais antifamília, a censura proibiu que fosse exibida no horário das oito da noite. No ar, só depois das dez. Nelson e nós pedimos, então, ao grande d. Hélder Câmara que assistisse ao capítulo inicial. Como não encontraria, com toda a certeza, nada de mais, poderia talvez opinar a nosso favor. O único comentário de d. Hélder a respeito do capítulo do folhetim foi: "Você, Nelson, fazendo concessão?". Ao que o Nelson respondeu: "O folhetim é um gênero. Um gênero imortal. O folhetim, claro, não foi feito para o filósofo alemão, mas, sim, para o lado pueril do filósofo alemão". Não houve socorro. A novela foi para depois das dez. Nelson não teve dúvida: escreveu a segunda novela, intitulada *Pouco amor não é amor*, e apresentou-a como sendo uma adaptação de *O tronco do ipê*, de José de Alencar. Foi a maneira de termos o folhetim no início da noite, pouco depois das sete. Nessa volta ao nosso convívio, solicitamos a ele um novo texto teatral. Eu, mais uma vez, estaria encarregada de ficar no pé dele, sem descanso.

Após o nascimento de Claudio, nós cinco agendamos um encontro com Ratto sobre o retorno do grupo. Estávamos em meados de 1963. A retomada, então, de comum acordo, ficou para o início de 1964. Na organização do novo repertório, necessitávamos também de tempo junto ao Banco Nacional para tentar negociar a dívida existente e, com coragem, solicitar um

Em 1962, com Ítalo Rossi na peça *O homem, a besta e a virtude,* de Pirandello, dirigida por Gianni Ratto no Teatro Maison de France, no Rio. Com ele vivi a maior comunhão cênica da minha vida.

Desenhos que Millôr Fernandes me dedicou em 1960 e 1963. Estreei três peças de autoria de Millôr: *O homem do princípio ao fim* (1966), *Computa, computador, computa* (1972) e *É...* (1977), além de várias peças traduzidas por ele.

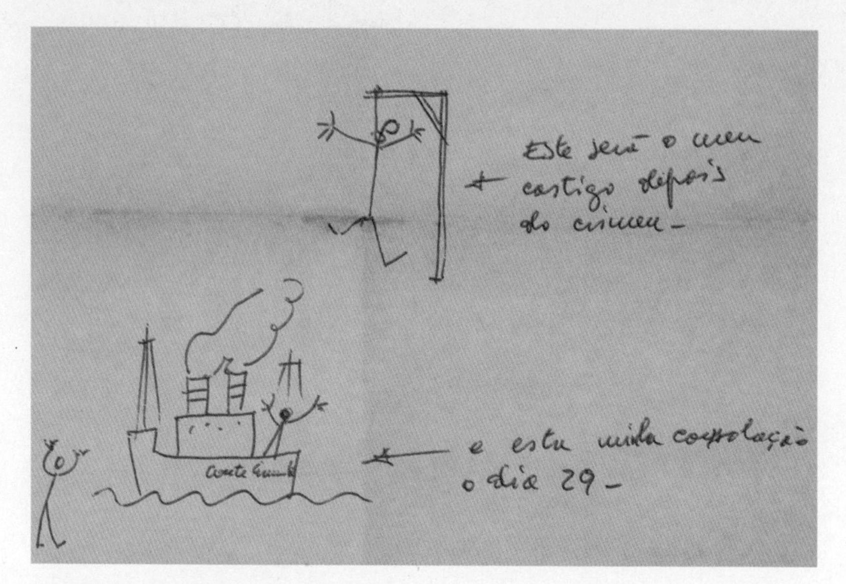
Este será o meu
castigo depois
do cinema –

e esta minha consolação
o dia 29 –

Detalhe de uma carta de Gianni Ratto a Fernando, datada de 10 de fevereiro de 1956. Trabalhei com o brilhante diretor e cenógrafo italiano durante dez anos.

m 1966, recebi no Theatro Municipal carioca o prêmio Molière de melhor atriz por *mulher de todos nós*, de Henry Becque.

Filmagem de *A vida de Jesus Cristo*, em 1971. O dramalhão bíblico, dirigido por José Regattieri em São Roque do Canaã (ES), me deu uma lição viva do estilo medieval de atuar.

Nelson Rodrigues escreveu *O beijo no asfalto* (1961) por encomenda do Teatro dos Sete. Fora sua Selminha, também encarnei Zulmira em *A falecida* (1965), filme dirigido por Leon Hirszman, além de peças de autoria de Nelson no *Grande Teatro* e três novelas na TV Rio.

Com Paulo Gonçalves e Isabela Garcia em *Medeia* (1973), especial da TV Globo dirigido por Fábio Sabag. O roteiro era de Oduvaldo Viana Filho, baseado em Eurípides.

Em 1976, recebi meu segundo Molière das mãos de Fernando, pelo papel de Deborah Harford em A *mais sólida mansão*, de O'Neill, que ele dirigiu e produziu no Teatro Glória, no Rio.

Nossa montagem de O *mambembe* no Municipal do Rio, dirigida por Gianni Ratto, marcou época e comemorou em grande estilo o cinquentenário do teatro.

Fui Vera Toledo em *É...*, de Millôr Fernandes, que estreou no Rio no começo de 1977. Direção de Paulo José. Fernando produziu a peça e atuou no papel de Mário Toledo, meu marido.

Em 1966, com Fernando, Claudio e Fernanda na lagoa da Pampulha, em Belo Horizonte.

Com Claudio e Nanda em Cuzco, no Peru. Foi nossa primeira viagem internacional.

Comemoração de 25 anos de casamento em nossa casa no Jardim Botânico, no Rio, em 1978.

Com Leon Hirszman e Maria da Conceição Tavares, na estreia de *Eles não usam black-tie*, em 1981.

Com Paulo Autran em cena da novela *Guerra dos sexos*, da TV Globo, em 1984. Enviei uma cópia desta foto ao grande ator às vésperas de sua morte, numa emocionante troca de cartas.

Rio de Janeiro, 9 de maio de 1985.

Querido amigo José Aparecido de Oliveira:

Como cidadã sempre fiz do meu ofício um instrumento de participação política. Como artista fiz a minha participação política dentro do meu ofício, fora de filiação partidária, pois compreendo que o palco é, definitivamente, o espaço mais livre que o homem jamais criou. Se olharmos os palcos de um país, saberemos exatamente que país é esse.

Desde a adolescência venho, a princípio intuitivamente, mais tarde conscientemente, me expressando através dos mais variados textos, percorrendo, democraticamente, os mais diversos gêneros teatrais, sem qualquer preconceito, na medida em que, para mim, um artista do palco tem que dar voz às mais diferentes manifestações da dramaturgia. Com isso deixo claro que, no meu entender, o palco é o meu espaço também político.

Comovida, feliz e honrada, vejo a lembrança do nome de uma atriz para o Ministério da Cultura como uma conquista histórica, culturalmente falando.

Recentemente, artistas deste país foram convocados para um grande futuro e uma grande mudança. As oposições políticas armaram palanques, esses mesmos artistas, preparando o espetáculo, "esquentaram" as multidões nas praças, fortalecendo lideranças ainda não confiantes em si mesmas como comunicadores. Uma vez fortalecidas, essas lideranças políticas ocuparam o centro dos palanques. Os artistas, cumprida sua missão, recuaram. As massas humanas se impuseram. A partir daí todos nós, irmanados, começamos a construção de um Brasil novo.

Para aqueles que vêem, preconceituosamente, a indicação de um artista para um tão alto cargo, respondo, sem exagero, que esse Brasil novo nasceu num palco armado na praça. Cogitar um artista para um Ministério é prova do amadurecimento político deste país, no seu todo. É um arejamento depois de tantos anos de asfixia. Pobre do país cujo governo despreza, hostiliza e fere seus artistas.

Esse Brasil acabou.

A sondagem que me foi feita, autorizada pelo Presidente José Sarney, revela o gesto limpo, independente e original do homem que, dirigindo a Nação neste momento de tanta Esperança, deposita sua confiança numa brasileira entusiasmada e consciente.

A esse convite devo responder com a mesma limpeza de propósitos. Vejo o Ministério da Cultura como o cerne do atual governo. No meu entender nenhum outro lhe é superior. Ele dará o tom da Nova República. E, para não ser assim, melhor seria não tê-lo criado, permita-me dizer-lhe com todo o respeito e confiança. A participação nessa esfera não pode ser exercida num quadro de nostalgia, de perda ou de degredo.

Diante da sondagem que me foi feita, repasso minha vida e, felizmente ou infelizmente, compreendo que o meu amor profundo para com o exercício do Teatro ainda não foi esgotado. Ao contrário: está mais vivo do que nunca. Deixando agora o Teatro, a sensação que eu teria seria de uma vida inacabada. Creio firmemente que cada cidadão deva exercer sua arte ou seu trabalho em conformidade com a sua vocação. Estaria sendo leviana se, pensando desse modo, agisse de outro.

Não é fácil dizer não.

Não vejo que seja mais fácil decidir pelo Teatro. Ou mais seguro. O Teatro nunca foi fácil ou seguro.

Mas é esse o meu lugar.

Tenho certeza de que todos os intelectuais e artistas, entidades de classe, que me demonstraram apoio através de cartas, telegramas, telefonemas, visitas, compreenderão a minha opção.

Pode parecer uma frase bombástica e teatral, mas não devemos temer nem o Teatro, nem as palavras: não estou preparada para partir.

Nesses novos tempos, gostaria que você, Aparecido, assim como o Presidente José Sarney, entendessem que a melhor maneira de prestar meus serviços à cultura brasileira, é permanecer no palco, onde continuarei à disposição do meu país, humildemente.

De sua amiga, cujo sentimento básico é a fidelidade,

Fernanda Montenegro

No começo de 1985, já no governo Sarney, fui convidada a assumir o recém-criado Ministério da Cultura. Mas recusei o convite por meio desta carta, enviada a José Aparecido de Oliveira, primeiro titular da pasta.

Em 1986, encarnei Fedra na peça homônima de Racine, sob a direção de Augusto Boal
A montagem estreou no Teatro de Arena carioca.

Fernando atuava no papel de Terâmeno. Numa das récitas, em 1987, ele sofreu um acidente vascular. Anos de tratamento equivocado comprometeram sua saúde.

Teatro de vanguarda: eu e Nanda em *The Flash and Crash Days*, com texto e direção de Gerald Thomas. A peça estreou no CCBB do Rio de Janeiro no final de 1991.

acréscimo para uma nova encenação. Batalha que não seria nada fácil, pois continuávamos, com total constrangimento, muito endividados. Nesse meio-tempo — uma surpresa —, Oscar Ornstein me convidou para protagonizar, no Teatro Copacabana, a ótima comédia *Mary, Mary*, de Jean Kerr, mulher do reputado crítico teatral americano Walter Kerr, que resolveu tirar sarro do marido na dita comédia. Tradução do amigo e para sempre extraordinário Millôr Fernandes. Foi a última direção de Adolfo Celi aqui e a única vez que trabalhamos juntos. Depois da estreia, esse excelente encenador e renovador do nosso teatro voltou definitivamente para a Itália.

No fim dos anos 1940, ao visitar amigos em São Paulo, logo Celi foi convidado por Zampari para organizar profissionalmente o TBC. E a fase áurea desse espaço teatral e cultural de São Paulo se deve a ele. Adolfo Celi era um homem charmoso, daqueles italianos sedutores que estão sempre prontos a conquistar uma mulher. Fora casado com Cacilda Becker e com Tônia Carrero. Com Tônia e Paulo Autran, fundou uma companhia importantíssima, responsável por um repertório corajoso e de grande envergadura. No período em que me dirigiu em *Mary, Mary*, Celi estava casado com uma jovem e belíssima modelo brasileira.

Nesse espetáculo, eu contracenava com Leonardo Villar, esplêndido ator e colega. E com Osvaldo Loureiro, companheiro desde o Teatro dos Sete. Nosso jogo cênico era uma loucura de divertido. Ríamos de parar os ensaios diante do que nós criávamos e do que o Celi sugeria. Foi um sucesso imenso. Oito meses em cartaz. Partimos para uma temporada em Porto

Alegre por um mês. Claudio começou a andar no corredor do hotel onde nos hospedamos.

Nos últimos dias de março de 1964, recebemos, não mais que de repente, um convite especial. Yara Vargas, sobrinha de Getúlio e mulher singular e culta, naquele período político tenebroso, assessorava a primeira-dama, Maria Thereza Goulart. E, justamente em nome de Maria Thereza, convidou-nos, a Gianni Ratto, Sérgio, Ítalo, Fernando e a mim, para um jantar no Palácio das Laranjeiras, sede do governo federal no Rio de Janeiro. Estávamos às vésperas do golpe. Havia no ar, em todo o Brasil, um bater de dentes de tanta radicalização.

Fomos recebidos no palácio. Os pouquíssimos convidados distribuíram-se em umas quatro mesas espalhadas no belo jardim. Sentada entre nós à luz de velas, Maria Thereza, lindíssima, jovenzíssima, muito reservada, delicada. Um rosto tenso. Contido. Yara contou a razão do jantar. A mulher mais importante do nosso país gostaria de, claro, como uma ação beneficente, talvez, participar como atriz de um ato teatral conosco. Nós cinco nos olhamos e não nos espantamos diante do que estava, com tanta coragem, sendo proposto. Nós, atores, temos experiência para avaliar os caminhos de um personagem, até mesmo em face do completo inesperado. Eu sempre fui contaminada por essa "deformação". O diálogo seguiu, com aquela protagonista tão especial dizendo o que tinha a nos sugerir. Percebemos uma inquietação ao nos falar em tom baixo, lentamente —, com muita elegância —, que gostaria de ter algo que a ocupasse no seu tempo disponível. Não disfarçava uma insatisfação com o que a vida lhe reservara já fazia um bom tempo. "Tinha que voltar à capital porque havia o colégio das crianças."

No jardim do palácio — também um centro absoluto do poder político —, sentíamos que havia tensão, apesar de o presidente e sua assessoria, talvez, nem se encontrarem presentes. Se todo o país se achava em estado de alerta, de choque, por que seria diferente naquele jardim? E prosseguimos no diálogo. Estávamos com ela, sim. E nos sentíamos credenciados. Escolheríamos, para tal fim, algum texto clássico de Machado de Assis, Coelho Neto, Joaquim Manuel de Macedo, José de Alencar. Algo de época, que lhe oferecesse uma moldura. Ela viria ao Rio ou nós iríamos à capital. Embora inusitado, o convite nos honrava e comovia. Acertamos que seria um ato beneficente e estrearia, possivelmente, em Brasília. Seguiu-se então uma leve descontração na nossa conversa.

Após o jantar, fomos levados ao cinema do palácio, onde assistimos a *Lawrence da Arábia*, de David Lean, com quase quatro horas de duração. Maria Thereza permaneceu na sala e, algum tempo depois, ela e Yara se retiraram e nós ficamos sozinhos até o final do filme. Quando as luzes da sala se acenderam, já era manhã. Alguém do cerimonial nos conduziu até o jardim. Lentamente caminhamos pela rua lateral que vai do grande portão até o largo do Machado. Saímos mais tensos do que quando entramos, diante da noite que tínhamos vivido, da delicada atenção que recebemos, da coragem daquela jovem que, ao acreditar em nós, gente de teatro, abriu algo do seu emocional. E se propôs. Guardo comigo, para sempre, a lembrança de um ser humano verdadeiro. Não vi nela nenhuma disposição de conformismo.

Pegamos dois táxis e fomos para nossas casas. Já eram os definitivos "idos de março". O golpe estava praticamente nas ruas. O general Olímpio Mourão já estava saindo de Minas, no peito, para invadir o resto do Brasil, dando início ao período militar que duraria mais de duas décadas.

Do ponto de vista de uma dramaturgia, quando Jango largou a luta de seu justo poder político e se retirou da chefia de seu país, como não pensar na conversa que tivéramos com a nossa jovem, bela e corajosa primeira-dama, naquele jantar?

Poderia Jango ter resistido? A maior parte do Brasil estava do seu lado. Mas, diante da convulsão geral, ele partiu. Deve ter sido um momento avassalador. De rasgar o peito. Ele fez a sua opção e tinha o direito absoluto de fazê-la — foi embora por devoção à sua companheira e a seus filhos.

Lembra-nos Camus, que diante da grande e convulsa crise política para a libertação de seu país, entre sua mãe e a Argélia, optou por sua mãe.

O primeiro presidente do período militar, o marechal Castelo Branco, era um homem culto. Por incrível que pareça, frequentava, às vezes, nossas plateias. Sua preferência era mais pela área dramática. Sentava-se na primeira cadeira do corredor. O segundo assento ficava vazio. Lá fora, no hall, permanecia o segurança. O marechal entrava, sentava, via a peça, levantava-se e ia embora. Diante da sua discrição, acho que a plateia nem percebia. Ele assistiu a dois espetáculos dos quais fiz parte. Os títulos, não me recordo. Sei que aconteceram no Rio. A propósito — lembro, muitos anos depois, também de Luís Carlos Prestes na plateia de uma peça da qual eu fazia parte. No fim, eu comuniquei aos espectadores a presença do histórico líder comunista. O público o aplaudiu solenemente. E com muito entusiasmo.

Desde 1937 existia o Serviço Nacional de Teatro (SNT) — criado no governo de Getúlio Vargas. Para gestora do órgão,

Castelo Branco nomeou a crítica Bárbara Heliodora. Seu primeiro ato foi solicitar uma verba de socorro aos grupos teatrais que, duramente, tentavam sobreviver desde o descontrole administrativo e político deflagrado pela renúncia de Jânio Quadros. Bárbara foi atendida. O Teatro dos Sete beneficiou-se com uma dotação, e assim retomamos a nossa programação, apresentando *Mirandolina*, de Goldoni, no Teatro Ginástico, com direção e cenário de Gianni Ratto. Mais uma vez tivemos críticas consagradoras e presença média de público. No fim da temporada — surpresa —, uma nova gravidez! Eu achava que com o pobre ovário que me sobrara jamais teria outro filho. Junto a nosso Claudio tão amado, também essa tão amorosa chegada me confirmava, me reafirmava como mãe — como um ser presente na natureza —, ao me desdobrar no nascimento daquela que viria a ser, de uma forma irmanada, minha grande e amada companheira de vida, dando sequência às mulheres resistentes que me formaram.

Mas logo juntou-se a essa alegria, minha e de Fernando, o maldito sangramento, exigindo repouso e provocando tensão permanente durante quatro meses. Que fazer? Encerramos a apresentação de *Mirandolina*. Tive mais uma vez que guardar leito. Percebi ser tal fenômeno parte do meu organismo quando grávida. Passado esse período, como ocorrera na gestação de Claudio, tudo se normalizou. O parto foi cesariana. Quando voltei a mim da anestesia, perguntei se era menino ou menina. Fernando respondeu que era menina. E que o nome dela seria Fernanda. Segundo ele, precisávamos de uma Fernanda verdadeira. Achei bonito.

Nelson Rodrigues, finalmente, nos entregou a segunda peça prometida: *Toda nudez será castigada*.

Fernando esclareceu que íamos demorar a montar o texto, porque estava ainda a caminho uma outra criança. Haveria a fase de amamentação, os primeiros cuidados. Que ele não se prendesse a nós. Passado um tempo, Nelson nos comunicou que Ziembinski estava interessado na peça. A encenação seria titulada por Cleyde Yáconis, Nelson Xavier e Luís Linhares. Nem nos passaria pela cabeça, a nenhum dos componentes do nosso grupo, levantar obstáculo. Ziembinski fez uma montagem memorável, com Cleyde Yáconis numa Geni, até hoje, sem igual.

O *Grande Teatro*, nesse período, já tinha assinado contrato com a recém-inaugurada TV Globo. Sanado o perigo de um aborto, durante a gravidez da Nanda, voltei a participar dos teleteatros na nova emissora — da barriga para cima.

Nosso grupo, o "dos Sete", marcou uma reunião para decidir qual seria o próximo texto a ser montado, visando o milagre de sanar a nossa eterna dívida bancária. Ratto, conduzindo nosso encontro, disse sentir absoluta necessidade de buscar outras experiências cênicas, novos desafios, dentro do próprio grupo. Propôs, então, termos duas estruturas teatrais. Um elenco — Ítalo, Sérgio, Fernando e eu — continuaria com a linha de repertório daqueles quatro anos. O segundo elenco viria de jovens talentos do curso de interpretação e cenografia que ele, Gianni, administraria. Com isso, ampliaríamos as nossas possibilidades artísticas.

Nós nos olhamos e entendemos o que aquele extraordinário homem, na sua busca de contestação criativa, propunha. A pergunta era: como dar conta de tal desdobramento dentro de uma dimensão cultural-teatral tão ambiciosa, sem um apoio financeiro? Naquele momento, mal podíamos resolver a nossa sobrevivência de cada dia, mal conseguíamos pagar os juros da dívida que aquele banco nos cobrava. Ratto, diante do nosso argumento, repetia que aquele projeto lhe era vital e inarredável. Penso que fui a primeira a indagar, assustada: caso não déssemos conta daquela grande viagem, seria o fim do grupo? Era isso? Imediatamente houve só segundos entre as falas de nós quatro perguntando, chocados, se aquela reunião era o nosso adeus. Questionamos: como dar conta de dois elencos? De produções distintas? Como sustentar um curso experimental? Em quais espaços? Alugaríamos e adaptaríamos um prédio? Com quantas pessoas teríamos compromissos trabalhistas? Com que dinheiro? Não tínhamos a quem recorrer. Não tínhamos fôlego nem contatos para tanto. Só havia essa saída dolorosa? A nossa destruição? Mas como, artisticamente, da noite para o dia, viver sem Gianni Ratto? Trabalhávamos juntos desde 1954. Eram dez anos de convívio! De dependência artística! Como sobreviver àquela orfandade?

Hoje entendo que é natural que muitos grupos teatrais se desfaçam e se refaçam. Depois de anos de coexistência, há uma hora em que o imaginário criativo se torna previsível. Se esgota. E passam por esse desafio não só os diretores, os encenadores, os encenadores gurus, mas também os atores, cenógrafos, iluminadores.

Diante da inarredável proposta do nosso amigo e mestre, não brigamos, não contestamos e, já saudosos e espantados, encerramos a absurda e inesquecível reunião. Esse foi o nosso último encontro. Não haveria "o nosso próximo espetáculo".

Mas ficamos, sim, admirados quando, pouco tempo depois, Ratto nos convidou, a Fernando, Ítalo, Sérgio e a mim, mesmo ainda grávida, para participarmos do elenco de uma produção da companhia de Tônia Carrero e Paulo Autran. *La Dame de chez Maxim*, de Feydeau. Respondemos, espantados, que não e agradecemos. A sobrevivência material, às vezes, nos obriga a ganhar tempo. Mesmo para um missionário da arte da dimensão de Gianni Ratto. Todos nós temos uma alma e um estômago.

Ratto logo resgatou a sua parte junto ao Banco Nacional. Era o que ainda nos ligava. E ele seguiu sua vida dirigindo inúmeros e memoráveis espetáculos com atores e grupos importantes, deixando sempre sua marca de artista e de ser humano.

Quando completei cinquenta anos de vida pública, Gianni Ratto escreveu, de uma forma espantosamente generosa, o seguinte texto sobre mim:

Fernanda é hoje, talvez, a única atriz que a cultura, filtrada por sua sensibilidade, torna independente de influências ou teorias transitórias, situando-a num plano completamente à parte no campo das grandes intérpretes-criadoras. Não se trata aqui de estabelecer se ela é a maior ou a melhor, isto não vem ao caso. O que eu quero dizer é que Fernanda é realmente um fenômeno a ser considerado isoladamente mais do que no contexto geral da arte teatral. A sólida estruturação moral, a noção crítica que ela tem de seu trabalho na perspectiva histórica de suas origens e do mundo ao qual pertence e que ela mesma criou para si, emprestam ao seu trabalho o cunho de severo e implacável profissionalismo de um artista da Renascença.

Trabalhamos sete anos juntos na busca de uma perfeição que redundou num círculo vicioso mas também na conclusão de um importante ciclo experimental.

Quando a conheci, já era potencialmente uma grande atriz. Hoje ela carrega o fardo do monstro sagrado: o esplendor do arcanjo da espada flamejante.

Fernanda, uma e cem mil, polivalente, multiforme, proteica, virtuose e intérprete como somente sabem ser os grandes músicos solistas.

Neste artigo [...] prefiro lembrar o esplêndido e inesquecível momento em que, na peça Eurídice, *de Anouilh, ela passava no fundo do palco, alterando todo um clima dramático, com uma simples parada e um olhar. [...] Ficou gravada para sempre.*

O que Ratto fala de mim, tão generosamente, se é que em algum momento chego a um mínimo do que ele diz sobre meu trabalho, foi e é resultado de uma intensa aprendizagem ao lado dele por tantos anos. Recebi de Gianni Ratto a transferência mística de uma arte e uma obstinada integração com a vida através de se completar no Outro. Se propor como Outro. A ele, sobre um palco, eu me sinto unida para sempre.

Nanda nasceu naquele desesperado setembro de 1965. Sua chegada foi um apoio, um amparo emocional para nós. Nossos filhos foram vitais diante do fato de não sabermos para onde ir. Não sabermos o que fazer. Estávamos endividados. E desempregados com o fim do nosso contrato na TV Globo. Nossos filhos eram a nossa força viva.

Recebi, então, nesse momento tão assustador, um convite do produtor Oscar Ornstein para participar da montagem de *Os físicos*, de Dürrenmatt, no Teatro Copacabana, direção de Ziembinski. Era a possibilidade de algum socorro. Havia urgência da minha resposta.

Fernando e eu passamos a noite angustiados, analisando o convite que aparentemente nos acudiria e seria ainda mais salvador para os nossos filhos — uma criança de dois anos e outra de dois meses. Meu contrato resolveria a nossa sobrevida imediata, não o sufoco que era o Banco Nacional. Como casal, representávamos a metade do compromisso financeiro que restara para nós quatro.

Em situações extremas, Fernando, com sua discrição, sua percepção de bicho de teatro, modesto só na aparência, sempre teve, em horas complicadas, uma objetividade, eu diria, salvadora. Tornou-se um autodidata em nos conduzir na boa hora e na hora má. Segundo ele, a nossa única chance de pagar a fortuna que devíamos era continuarmos juntos e tentarmos novo espetáculo. Se fechasse contrato com outro produtor, não teríamos saída. Quando amanheceu, telefonei e disse não a Ziembinski.

Tínhamos em casa um tacho de cobre, que sobrara da nossa fase quase hippie, cheio de textos teatrais. Um deles era *La Parisienne*, de Henry Becque, que em algum momento Ratto pensara em montar conosco. Repertório da Comédie. A peça é um clássico do teatro francês do século XIX. Referência histórica porque, pela primeira vez num palco, um casal da alta burguesia decide de comum acordo se safar de crises financeiras com a mulher buscando amantes poderosos dentro de sua própria escala social — sem deixar de ser uma honesta e grande dama. O texto exige cinco atores e um cenário. Fernando bateu o martelo. Ítalo e Sérgio aceitaram. A montagem só não poderia ser de época, Fernando ponderou, porque não havia dinheiro para isso: "Vamos pedir ao Millôr que adapte para os dias de hoje". Assim foi feito. Millôr tornou a peça contemporânea e deu-lhe o título *A mulher de todos nós*. Dessa vez, pelo desgaste de Fernando diante de tantas desculpas junto ao banco, fomos, eu e Sérgio, enfrentar o gerente poderoso, em cuja sala fizemos o discurso decorado: "A única maneira de pagar nossa dívida é o Banco Nacional nos apoiar com mais algum recurso etc. etc.

etc.". Ele concordou com um valor mínimo. Se fosse preciso mais alguma colaboração, que fôssemos visitá-lo novamente. Começamos a produção. Conseguimos um prazo de sessenta dias para pagar a madeira do cenário único, de João Maria dos Santos. Os figurinos, deslumbrantes, foram uma colaboração do estilista José Ronaldo, que não tinha o nome de Dener ou Clodovil, mas era o melhor de todos. Fora dele o meu figurino de *Mary, Mary*. O longo branco de cetim virou objeto de desejo no Rio — foram vendidos doze iguais no ateliê de José Ronaldo. A direção foi de Fernando. Elenco: Sérgio, Ítalo e eu encabeçando a encenação. Estreamos no teatro de 220 lugares que existia em Ipanema, o Santa Rosa. Estouramos com imenso público e críticas excelentes.

Quatro dias depois da gloriosa estreia, em janeiro de 1966, filas e brigas na porta para assistir à peça, telefone tocando sem parar, um temporal faz desabar o Rio de Janeiro. Calamidade pública. Cinquenta mil desabrigados. A cidade parou. Quem não ficou debaixo da lama pegou o que tinha e foi socorrer as vítimas.

Há dois santos no Rio que o povo carioca considera salvadores únicos de suas vidas diante de qualquer crise — são Jorge e são Sebastião. No ano anterior, a prefeitura decretara que o dia de são Sebastião, 20 de janeiro, deixaria de ser feriado municipal. Quando aconteceu a descomunal enchente, correu o rumor de que aquilo era castigo. Tinham desdenhado da importância oficial do milagroso e cultuadíssimo padroeiro da cidade. Um ano depois, no mesmo mês, um novo grande temporal convenceu as autoridades a anular o decreto. Vinte de janeiro passou, então, a ser feriado para todo o sempre.

O Teatro Santa Rosa ficava perto da comunidade Pavão-Pavãozinho, onde também houve desabamentos. Nosso hall acolheu dezenas de desabrigados. Ajudamos com colchões, sopa, roupas, mas o telefone rachava de tanto tocar — era gente querendo comprar ingresso. Depois de oito dias, Fernando propôs ao dono do teatro, Léo Jusi, retomar o espetáculo, mesmo com o atendimento social. Assim foi feito. Em quatro meses, à custa de onze sessões por semana, quitamos nossa dívida com o Banco Nacional.

A amizade de nós quatro seguiu pela vida afora. E nunca nos acorrentou. Tinha chegado a hora de tomarmos novos rumos. Ítalo se associou a Flávio Rangel, Célia Biar e Rosita Thomaz Lopes, e formou seu outro grupo, com investimento financeiro vindo de um milionário português. Fernando o substituiu em *A mulher de todos nós*.

Ainda no Teatro Santa Rosa, após um ano e meio em cartaz com o mesmo espetáculo, estreamos, em junho de 1966, *O homem do princípio ao fim*, uma colagem de diversos autores ou personalidades assinada por Millôr Fernandes. Direção: Fernando Torres. Voltamos a nos juntar a Cláudio Correia e Castro. Estávamos diante de mais um sucesso espantoso de crítica e de público. O que nos confortou muito, pois, com o resultado financeiro milagroso, começamos finalmente a ter uma reserva econômica.

A peça que se seguiu, no Teatro Gláucio Gil, em junho de

1967, foi *A volta ao lar*, uma obra-prima da dramaturgia inglesa, de autoria de Harold Pinter, autor que mais tarde ganharia o prêmio Nobel. Tradução de Millôr Fernandes, direção de Fernando Torres, cenário do grande cenógrafo italiano Tulio Costa. Figurinos de Kalma Murtinho. Elenco: juntaram-se, a mim e a Sérgio, o grande Ziembinski — como protagonista —, Cecil Thiré, Delorges Caminha e Paulo Padilha. Foi um sucesso e um escândalo total. Ainda vivíamos numa época de plateias presentes, quer com aplausos, quer com protestos.

Mas a batalha desse texto se iniciou com d. Solange, a censora oficial a quem recorremos diante dos imensos cortes feitos no diálogo, os quais impossibilitavam a montagem. A tradução usava palavrões porque a peça tinha sido traduzida fielmente pelo Millôr.

Ziembinski e Fernando foram até a sala da censora para encontrar uma solução. Não houve entendimento em face de tanto bloqueio intelectual, de tanto desconhecimento com relação à arte teatral, em face de uma servidão política tão estúpida. Propusemos a possibilidade de uma barganha. Quais "palavrões" d. Solange suportaria? Era uma questão de vida ou morte para nós. Um dos primeiros a ser cortado seria "olho do cu". Ziembinski, indignado, esgotado, com lágrimas nos olhos, suplicou: "D. Solange, por favor, eu lhe suplico, não corte o meu 'olho do cu' que a senhora acaba com meu papel! É a partir desse meu 'olho do cu' que o meu personagem se apresenta como realmente ele é e todo o clima da peça se transforma".

E, assim, começou a permuta "este palavrão por aquele", "aquele ali por este", "este aqui por aquele lá". Após essa luta, conseguimos que a peça fosse proibida para menores de 21 anos. Um milagre. Estreamos com críticas maravilhosas e plateias lotadas, atuantes, com protestos violentos — contra e a favor. Tal qual havia acontecido com *O beijo no asfalto*, de Nelson Rodrigues, parávamos a apresentação até que tudo se acalmasse, e então recomeçávamos, sem nos pronunciarmos, pois nunca quisemos fazer um duplo espetáculo. Sendo o Teatro Gláucio Gil um espaço oficial, após quatro meses, seguimos com a peça no Teatro Mesbla, na Cinelândia.

Como tínhamos feito na década de 1950, no novo decênio, agora com três espetáculos respeitáveis, fomos para São Paulo e lá, Fernando e eu, com nossos dois filhos, permanecemos até fins de 1969.

No final de 1967, estreamos, com excelentes críticas e público, *O homem do princípio ao fim* no Teatro Bela Vista, tendo o ator Perry Sales no lugar de Sérgio Brito. Sérgio, com o fim do Teatro dos Sete, assinou contrato com a TV Excelsior como ator e diretor, mudando-se também para São Paulo — nós três, por absoluto acaso, estaríamos juntos nessa cidade, mais uma vez, por um bom tempo.

Na época, a censura se fazia presente em cada capital, em cada município. Eram sempre três censores. Um, com uma lanterna, seguia o texto, e os outros ficavam entregues à cena. Tinham plenos poderes sobre o que viam.

Encerrada a temporada no Teatro Bela Vista, preparamos a estreia de *A volta ao lar* no Teatro Maria Della Costa. A censura de São Paulo proibiu a montagem desse texto mesmo depois de ele ter estado meses em cartaz no Rio. Para surpresa maior, a proibição veio da Censura Federal. De Brasília. Fernando foi à capital para tentar nos livrar da desgraça, usando, ingenuamente, como argumento o direito à liberdade de expressão através do trabalho artístico etc. etc. etc., e acrescentando os compromissos financeiros de sustentação da produção assumidos com o elenco contratado vivendo fora de sua cidade. Não foi atendido. Retornou a São Paulo. Encheu-se de coragem diante do desespero e voltou ao Distrito Federal. Finalmente, um coronel o recebeu e, mostrando um papel assinado, comunicou: "Seu Fernando, quando se recebe, aqui, nesta mesa, um comunicado, nesta cor, não há apelação".

Nos velhos tempos do Teatro dos Sete, pretendeu-se uma aproximação cultural oficial entre Brasil e Argentina. Haveria a possibilidade de um festival teatral nos dois países. Na ocasião, a propósito, houve um encontro com o diplomata Hélio Scarabôtolo. Quis o destino que, nesse momento político dos anos 1960, Scarabôtolo fosse o chefe de gabinete do ministro da Justiça, Gama e Silva, e por sorte morasse em São Paulo. Fernando foi procurá-lo, contou nossa situação. Por intermédio de Scarabôtolo conseguimos, enfim, a liberação da peça, após um mês de exaustiva luta. Estreamos e cumprimos uma temporada de quatro meses com ótimas críticas e presença média de público — sem protestos morais na plateia.

Seguimos a vida, apresentando *A mulher de todos nós* no Teatro Anchieta. A alegria absoluta foi que Ítalo voltou ao seu papel naquela remontagem. Foram só dois meses juntos. Matamos nossa saudade. A crise política era de tal ordem que havia barricadas — rolos de arame farpado atravessando a rua — no trajeto para o teatro. O pouco público presente era um milagre diante da situação.

No Teatro Ruth Escobar se apresentava a peça *Roda viva*,

de Chico Buarque, com direção de José Celso Martinez Correa. Segundo informação oficial, uns cem homens do CCC — Comando de Caça aos Comunistas — invadiram o teatro, depredaram os cenários e agrediram artistas, entre os quais a extraordinária e respeitada atriz Marília Pêra. Sem nenhuma humanidade, *Roda viva* foi arrebentada.

Destaco que a direção desse texto era de um inalcançável e revolucionário criador, José Celso Martinez Corrêa, cuja bagagem transformadora do ponto de vista cênico já nos tinha dado, com todas as bênçãos de Dionísio, a encenação de *O rei da vela*, de Oswald de Andrade, em 1967 e de *Galileu Galilei*, de Brecht, em 1968, e ainda nos daria, em 1969, *Na selva das cidades*, também de Brecht. Diante dessa agressão a um espetáculo com a assinatura de Chico Buarque e Zé Celso, por mais que se protestasse, era pouco.

Numa traumatizante assembleia da classe se propôs, por segurança, que um ator em cada espetáculo em cartaz na cidade levasse consigo uma arma. No nosso elenco quem traria a arma seria Perry Sales. Não chegamos a pôr em prática essa decisão. Sei que essa última agressão do CCC se repetiu em Porto Alegre.

Em meio a tanta insegurança e pavor geral, milagrosamente, a TV Excelsior me ofereceu um contrato, de três anos, com salário mais que respeitável. Impensável.

Quando começaram os preparativos para a novela *A muralha*, inspirada no romance da escritora Dinah Silveira de Queirós, descobri que o meu papel seria o de uma velha matriarca, Mãe Cândida. Estava prestes a me tornar, portanto, mãe de Nathalia Timberg, Gianfrancesco Guarnieri e Rosamaria Murtinho, sogra de Nicette Bruno, entre tantos outros atores da minha geração e da minha idade, também contratados. Relutei, não por vaidade, mas como é que eu podia convencer como mãe deles? Recebi como resposta: "O patrocinador quer que seja você". Penso que essa resposta era muito mais uma posição do próprio Edson Leite, diretor da emissora. Quem era eu para o patrocinador "exigir a minha presença"? Aceitei. Prendi o cabelo num birote e segui em frente.

Tenho orgulho de ter participado desse trabalho. Direção de Sérgio Brito. Foi um esforço bonito de todo o glorioso elenco e um sucesso enorme de audiência — São Paulo parava para assistir à adaptação sobre a história dos bandeirantes.

Nesse mesmo período, Maurício e Beatriz Segall, atriz de quem éramos amigos desde *Alegres canções na montanha*, projetaram arrendar o velho Teatro São Pedro, na região da Barra Funda, e nos convidaram para fazermos uma sociedade. Maurício, economista e museólogo, era filho do pintor Lasar Segall e pertencia, por parte de mãe, à família Klabin. O custo modesto da restauração do São Pedro, na avaliação financeira da obra, era absolutamente possível dentro do nosso orçamento familiar.

A experiência com o Teatro dos Sete nos mostrara a inconveniência de nos fecharmos, os dois, num mesmo empreendimento. Sem nenhum respaldo econômico, sem nenhuma reserva financeira, como dependíamos inteiramente do nosso trabalho, e sendo nossa profissão sujeita a tantas reviravoltas e entraves políticos, era mais seguro garantir duas fontes de renda. Assim, só Fernando participou daquela sociedade. Para nossa absoluta surpresa, Maurício propôs ampliar o projeto, construindo outro espaço teatral dentro do prédio do São Pedro. O orçamento se ampliava, e muito. Fernando assumiu o compromisso de, em cinco anos, quitar sua parte no custo da restauração e da construção dos dois teatros. Se ele não conseguisse, a sociedade seria automaticamente desfeita, e nada daquilo em que Fernando tivesse investido ou trabalhado lhe seria devolvido. Proposta aceita.

O espetáculo de estreia do novo Teatro São Pedro não foi da sociedade, e sim da produtora, minha e de Fernando. Apresentamos o musical *Marta Saré*, de Gianfrancesco Guarnieri e Edu Lobo. Direção de Fernando e cenário do extraordinário Flávio Império.

No dia 13 de dezembro de 1968, no fim do ensaio, veio a notícia da decretação do AI-5 — aquele ato político, inimaginável de tão infernal, de tão castrador: Tortura. Todos os direitos suspensos. Total censura. Mortes.

A pré-estreia da nossa *Marta Saré*, por um mês, foi testada no Rio, no Teatro João Caetano. E a estreia em São Paulo foi respeitável: pelo novo espaço, pela presença de Guarnieri, Edu Lobo, Flávio Império, Beatriz Segall, Graça Melo, Myriam Muniz (amiga tão querida) e, vindo do Teatro de Arena, Antonio Fagundes — belo e vibrante nos seus vinte e poucos anos.

Quanto à TV Excelsior, já no início da segunda novela, *Sangue do meu sangue*, que também alcançou imenso sucesso, o pagamento de nossos salários começou a atrasar e logo foi suspenso, para surpresa de todos nós, contratados. O canal tinha uma história acidentada. Pertencera a um poderoso grupo, presidido por Mário Wallace Simonsen. Em 1965, houve a derrocada desse empresário, que se suicidou numa pequena cidade perto de Paris. A TV foi vendida a outro grupo, do qual fazia parte o radialista Edson Leite, ex-diretor artístico da estação, que passou a geri-la. Embora com grandes audiências e produzindo a pleno vapor, a Excelsior, segundo comentários, continuava às voltas com uma crise financeira insolúvel diante do confisco da maior parte do patrimônio da família Simonsen.

Havia uma crença, um sonho, por parte de uns dez atores veteranos na casa e do nosso sindicato, de que, diante do tamanho da dívida com seus contratados, seria possível, como ressarcimento, negociarmos com o governo — um governo militar — o controle da emissora.

Esperando, ingenuamente, por esse milagre, apesar de não recebermos, seguíamos gravando novelas e mais novelas, programas e mais programas. Chegamos a fazer muitas rifas entre os contratados ainda possuidores de alguma reserva em prol dos funcionários mais humildes, que viviam sem nenhum socorro.

Foi um período sinistro de crises nos canais de televisão — a TV Rio, a grande estação onde trabalhamos por tantos anos, tinha falido; a TV Tupi já caminhava para o seu fim. Estranhamente, sempre havia pequenos incêndios em algum dos estúdios da Excelsior. Grupos de funcionários, ainda que sem salário, se revezavam à noite, montando guarda. Eu jamais soube a razão desses incêndios. E jamais quis saber.

A reivindicação de sermos ressarcidos assumindo o controle do canal resultou em nada. Particularmente, como contratada, requeri no Ministério do Trabalho o pagamento que me era devido. Ganhei a causa, mas de nada valeu — ganhei, mas não levei.

Fernando fora contratado pela TV Record. Era desse contrato que nós comíamos.

O Teatro São Pedro era um investimento unicamente artístico. Morávamos num sobradinho geminado que meu sogro comprara para nós, na rua Paulistânia, no Sumarezinho.

Vivemos em São Paulo a trágica tensão política do final dos anos 1960. Nesse período, saíamos, sim, em passeatas, mas os transeuntes, nas calçadas, não se juntavam facilmente aos manifestantes. Particularmente, para mim e para Fernando, a mobilização era pela liberdade de ser. Pelo respeito ao ser humano. Tal reivindicação, antes de qualquer posição partidária, radical ou não, é que nos levava a participar das assembleias de classe ao lado de corajosos e orgulhosos militantes, e mesmo de agitadores ideológicos — Zé Dirceu esteve muitas vezes nessas assembleias e era arrebatador. Tínhamos uma presença desprovida de histeria ou de exibicionismo. Conscientes. Desde o Rio de Janeiro sempre participamos de nossas assembleias — na época fundamentais. Volta e meia, entre tantas atitudes reivindicadoras, alguém propunha, como protesto, pararmos todos os espetáculos, numa greve geral do teatro. Nós dois sempre nos opusemos. Uma greve do teatro no Brasil? Quem lutaria por nós num protesto? Num comício? Num abaixo-assinado?

Convivíamos com amigos, como Vianinha, que atuavam no Centro Popular de Cultura (CPC). Vianinha convidou Fernando a se juntar ao movimento cujo propósito era, através da dramaturgia, desenvolver as reivindicações sociais e lutar por elas. Fernando quis saber se haveria lugar para uma visão artística do que fosse apresentado. A resposta foi que não era essa a prioridade. O importante era levar o conceito revolucionário. Fernando recusou, pois sempre acreditou, como eu, que um projeto de tal envergadura, sem arte, possivelmente morreria na praia. É a arte que determina a ação.

Sei hoje que o tempo alivia, sim, certo radicalismo.

O futuro clareou determinadas posições pragmáticas da esquerda que abrangiam até zonas de orientação sexual. Quando ainda organizávamos o Teatro dos Sete, no Rio, recebemos a proposta de nos juntarmos ao Teatro de Arena. Tivemos uma conversa madrugada adentro, na praça do Lido, em Copacabana, com um dirigente do grupo histórico, um amigo nosso, absolutamente de esquerda, a quem respeitávamos e continuamos respeitando. Ele nos disse que os Fernandos seriam bem-vindos, mas os nossos amigos homossexuais, não. Então, não nos juntamos ao Arena. Tenho certeza de que, hoje, esse nosso amigo querido não apresentaria tal objeção. Em termos de crença na liberdade humana, o mundo avançou.

Uma das muitas atribulações do ano de 1968 foi a polêmica entre a classe teatral, que culminou com a devolução do importantíssimo e emblemático prêmio Saci, tradicionalmente conferido pelo *O Estado de S. Paulo*, numa grande festa, aos artistas que mais se destacavam no ano. O Saci, pelo prestígio do periódico, dimensionava o que nós éramos na nossa arte.

O estopim do conflito foi a avaliação sobre certa aceitação da censura. Passamos a ter assembleias quase diárias no Teatro Ruth Escobar e, numa delas, quando a exacerbação era geral, a mesa, num arrebatamento, propôs que os premiados devolvessem seus troféus como protesto — posicionamentos desesperados e contraditórios. Uma parcela da assembleia assentiu. A outra não.

Cacilda Becker, que era presidente da Comissão Estadual de Teatro no governo de Abreu Sodré, teve um encontro com a direção do jornal. Na nossa assembleia geral, ela nos pôs a par do que lhe fora comunicado: se devolvêssemos o Saci, nunca mais o grande e importante jornal publicaria matéria sobre a nossa área. Diante disso, Cacilda, com o seu grande caráter e bom senso, reavaliou a situação. Ela estaria com a assembleia no que fosse determinado.

A maioria votou pela devolução. Aceitei ler o manifesto dos artistas no ato em que os troféus seriam entregues aos representantes do jornal, no dia seguinte. Bem tarde da noite, quando o texto a ser lido me chegou às mãos, verifiquei que em vez da questão da defesa da liberdade de expressão, mais do que fundamental para muitos de nós na assembleia que tivéramos até a alta madrugada, o documento, de uma maneira acirrada, trazia um discurso ideológico-partidário no qual sobravam palavras de ordem contra o imperialismo americano e mais imperialismo americano e ainda mais imperialismo americano. Como atriz, a liberdade total de me expressar era a razão que me levava a estar com a maioria da nossa última assembleia.

Aceitava a devolução, mas não fechada num protesto tão destemperado e tão violentamente radicalizado.

Levantamos às seis da manhã e fomos, Fernando e eu, ao apartamento de Cacilda, onde nunca havíamos pisado, ao lado do parque Trianon. Ela, surpresa ao tomar conhecimento do teor do manifesto, discordou da sua radicalização. Concordamos, os três, que estávamos protestando a favor de algo mais importante — a absoluta liberdade de ser. Sentados à mesa da cozinha enquanto tomávamos aquela primeira xícara do café da manhã, escrevemos uma nova declaração focada no tema da plena liberdade de expressão. Poucas horas depois, ainda pela manhã, comparecemos ao Teatro de Arena, de onde — que me lembre — Cacilda, Jorge Andrade, Plínio Marcos, Fernando, eu e mais alguns artistas nos dirigimos até o prédio do importante jornal. A maioria da mesa que, na véspera, comandara a assembleia — os coordenadores da devolução — não se fez presente.

Não nos receberam no jornal. Deixamos nossos troféus depositados ali na entrada lateral do prédio. Os manifestos foram lidos na calçada. O texto que li foi o que Cacilda e eu refizemos. Aquele que recusei foi lido por Marília Medalha.

Na caminhada do Arena até o *Estado de S. Paulo* é que percebemos a grande quantidade de eventos políticos de contestação agendados para aquele dia, na cidade de São Paulo — no Brasil. Só então atinei que fazíamos parte, modestamente, de um imenso e abrangente protesto. No grito geral, nós éramos meia dúzia de gatos-pingados. Éramos nada. Mas éramos muito.

Quando uma série de interrogatórios e até mesmo de prisões começou a intimidar a classe teatral, Cacilda Becker, nossa líder absoluta, me pediu que a acompanhasse numa visita a um poderoso militar. Fiquei surpresa, porque não tínhamos maior convívio nem intimidade. Ela me disse textualmente que eu era a pessoa em quem mais confiava como testemunha do que se passaria naquele encontro. Eu lhe sugeri outros nomes. Ela insistiu. Cacilda ocupava, graças à importância que sua vida e seu imenso talento lhe conferiam, um cargo público — presidente da Comissão Estadual de Teatro — num governo que, claramente, não era de esquerda. Portanto, a posição dela era de uma magnitude conciliadora.

A visita oficial seria à residência do comandante da 2ª Região Militar de São Paulo, na rua Honduras, no Jardim América, perto da casa de Maria Thereza Vargas, pesquisadora de teatro e amiga de Cacilda, aonde fui encontrá-la. Esses dados, que agora rememoro, me foram clarificados por Maria Thereza, a quem agradeço num carinhoso abraço.

Quem nos recebeu foi o filho daquela máxima figura do Exército. O comandante não estaria em casa. Cacilda se posicionou: que abrandassem as perseguições, as prisões e a censura. Foi a fala de uma artista de absoluto prestígio, de real liderança. A resposta foi que seu apelo seria levado ao general.

Ao sairmos dali, sentimos que nada viria em nosso auxílio. Só agora, da minha parte, torno público esse encontro tão comovedor, tão inútil diante da nossa tão grande esperança.

E, então, ainda em 1969, acima de toda a crise política, social, humana, nada nos esmagou, nos desmembrou, nos dilacerou mais do que o horror que foi a trágica morte de Cacilda

Becker, aos 48 anos de idade, pouco mais de um mês depois de sofrer um derrame cerebral em cena.

Por que Cacilda, nossa líder, a nossa grande atriz referencial? O que seria de nós sem ela? Até hoje, essa perda não é crível, de tão dolorosamente absurda. Há uma eternidade na sua figura — como mulher, como sublime atriz, como brasileira. Cacilda vive!

Naquele monstruoso momento de perdas, de extrema necessidade de um socorro existencial e político, o que nos acolheu, o que nos trouxe ar, o que nos estendeu a mão, foi a chegada do milagre da Tropicália aos nossos poros. Aquele grito de aleluia nos dimensionou como resistência e criatividade libertária. Uma contestação litúrgica de renascimento. Existe vida, sim. Existe o amanhã, sim: "Caminhando contra o vento/ Sem lenço e sem documento/ No sol de quase dezembro/ Eu vou".

Como reação, desumanamente, os aedos tropicalistas foram atirados no fundo dos infernos. Mas, desse horror, saltaram vivos. Clássicos. Eternos.

No desmonte do final desse decênio, após a falência da Excelsior, vi entrar no nosso sobradinho da rua Paulistânia o produtor do Teatro Copacabana, Oscar Ornstein. O convite era para titular a peça *Plaza Suíte*, de Neil Simon, com direção de João Bethencourt, tendo como colega de cena o nosso querido amigo Jorge Dória, extraordinário comediante. Aceitei. Era fim de ano, as crianças já tinham entrado em férias. Vim para o Rio com eles e Fernando ficou em São Paulo, no Teatro São Pedro e na TV Record. O combinado era que eu voltasse três meses depois, quando as aulas recomeçariam.

Alteração total no que havíamos, familiarmente, organizado: Maurício Segall foi preso por ordem, diziam, de um comando militar.

Não conhecíamos os detalhes da atividade política de Maurício. Sabíamos apenas que ele tinha uma forte posição crítica ao regime com a qual concordávamos plenamente.

Maurício desapareceu na noite em que o elenco se reunira com o diretor Celso Nunes, a propósito da produção que seria apresentada no palco do Teatro São Pedro. Lá estavam o diretor Celso Nunes, Beatriz Segall, Fernando e demais atores, entre os quais Cláudio Correia e Castro, todos abismados diante de nenhum resultado nas buscas normais. Cláudio, então, pediu informações junto a um importante general, seu tio. Como resposta a esse telefonema do sobrinho, foi aconselhado que ele e seus colegas se afastassem do problema — "que não buscassem saber".

O não esclarecimento foi traumático. Desaparecera um chefe de família, o diretor do Museu Lasar Segall, o incentivador cultural à frente do Teatro São Pedro. Da noite para o dia, o pânico.

No Departamento de Ordem Política e Social (Dops) estava a figura monstruosa de Sérgio Fleury. A prisão de Maurício Segall, que duraria dois anos, se fez sob o comando desse delegado.

A crise gigantesca, que nos atingiu particularmente, determinou um reposicionamento de nossas vidas. Permaneci, então, no Rio com Nanda e Claudio, cumprindo a temporada de *Plaza Suíte*, que se estendeu devido a um enorme sucesso. Quanto a Fernando, diante da traumática prisão de Maurício, concluímos que ele continuaria em São Paulo, já que toda a estrutura do São Pedro passou à sua total responsabilidade. E, claro, junto a Beatriz Segall. Não havia outra saída diante do tamanho do desespero daquele momento. Os meninos foram para um colégio em Ipanema, bairro onde moramos, nessa época, por conta do contrato firmado com Oscar Ornstein. Fernando nos visitava às segundas-feiras.

E assim correu todo o ano de 1970. Os Torres vivendo entre

duas cidades e, no fundo, em nenhuma. Por duas semanas, o pai não pôde ir ao Rio em razão de compromissos no São Pedro. Nandinha, aos quatro anos, com os olhos cheios d'água, queixou-se: "Mãe, o papai gosta mais do teatro do que da gente". E Claudio, aos seis, já integrado na escola, fez um pedido irrecusável: "Mãe, não muda mais". Respondi: "Sua mãe não vai mudar mais". De residência. De base. De um lar definido numa determinada cidade, numa determinada rua, num determinado número. Mas o pai não se fazia presente. Com Maurício ainda preso, Fernando dava seu apoio ao São Pedro e à família Segall.

Com a chegada de 1971, e com a retaguarda da situação em São Paulo mais controlada, chegamos à conclusão de que precisávamos encontrar uma saída para nossa própria vida. Para nossa própria família. O montante da dívida da obra e das produções que coubera a Fernando na sociedade, ele não poderia jamais quitar. Não tínhamos lastro econômico para tanto. Relembro os termos do contrato: caso não fosse atendida a parte da dívida que coubesse a Fernando, a parceria estaria automaticamente desfeita. Tudo foi acertado com a família Segall sobre o fim daquela sociedade. E Fernando retornou, enfim, ao nosso convívio.

Guardo uma carta de Maurício Segall da prisão, agradecendo a honradez do amigo no que dizia respeito à sociedade e destacando, principalmente, a maneira como ele apoiou e confortou sua família.

Fernando, já dominando de forma amadurecida o trato teatral — aprendido na própria pele —, ponderou que não deveríamos mais pôr a nossa vida na mão de canais de televisão e, quanto ao teatro, deveríamos assumi-lo corajosamente, por nós mesmos, como criadores. Achava melhor irmos pela nossa modesta caminhada, ainda que arrancando os cabelos. Levar o nosso circo pelo Brasil afora. Poderíamos, sempre que possível, aceitar a TV, porém nunca mais deveríamos deixar de ter controle sobre a nossa vida. E assim fizemos. Tal decisão teve altos custos humanos, com longas ausências de casa, indo e vindo semanalmente para ver nossos filhos, de avião, carro, van, durante as infindáveis excursões através de praticamente todos os estados do país. A cada produção estreada, ficávamos um ou dois anos no Rio, depois saíamos para as capitais e cidades de porte médio. Por mais de vinte anos vivemos plenamente a nossa arte e da nossa arte. Talvez a minha geração tenha sido a última a dispor desse privilégio.

O custo da família Torres: enquanto tiveram idade pré-escolar, nossos filhos excursionavam conosco. Quando veio a escola, padeci — a verdadeira eu — o indescritível vazio da ausência de meus filhos. Tão meus. Tão nossos.

Em junho de 1971, aceito um novo convite para estar ao lado de Sérgio Brito, como ator e produtor, no vaudeville *O marido vai à caça*, de Feydeau, direção de Amir Haddad —por essa direção lhe foi conferido o prêmio Molière. Amir é um diretor referencial da nossa linguagem cênica. Ele desestrutura a codificação do intérprete. Desse desmonte, nasce uma inquieta consciência cênica, uma nova estrutura a nortear para sempre esse novo ator.

Com a chegada da década de 1970, tendo meu sogro falecido em 1968 e deixado um lote de ações para os dois filhos na época em que a Bolsa estava no auge, vendemos nossas ações e demos entrada na compra de uma pequena e linda casa no

Jardim Botânico. Nós a hipotecamos como complemento de pagamento. Um dia ela seria definitivamente nossa. A partir daí, toda vez que precisávamos cruzar o país com a companhia, minha mãe e meu pai vinham cuidar das crianças.

Nossos filhos acompanharam de perto nossas melhores e nossas piores horas. Como o teatro exige espetáculos no fim da semana, só nas segundas e terças-feiras eu os levava para a cama, na hora de dormir. Havia carência disso na vida deles, como na minha e na do pai. Mas jamais cultuávamos uma total separação entre o palco e a nossa casa. Os primeiros encontros de elenco, as primeiras leituras de um texto a ser montado, eram feitos em torno da nossa mesa. Durante muitos anos, o carro da família foi uma Kombi que também servia para o transporte de cenários e equipe numerosa. Nossos filhos sempre frequentaram nossos bastidores. Quando nenéns, eu os amamentei nas coxias.

Com orgulho, nunca nos negamos mambembes, funâmbulos, saltimbancos. Fernando, como produtor independente, respondeu por *O interrogatório*, de Peter Weiss, pelo qual ganhou o prêmio Molière, como produtor; *Calabar*, de Chico Buarque e Ruy Guerra, proibido pela censura; *Computa, computador, computa*, de Millôr Fernandes; *A volta ao lar*, de Harold Pinter; *O amante de madame Vidal*, de Louis Verneuil; *Seria cômico... se não fosse sério*, de Dürrenmatt, direção memorável do nosso querido amigo Celso Nunes, cenário referencial de Marcos Flaksman, prêmio de melhor ator para Fernando Torres da Associação Paulista de Críticos Teatrais — particularmente, considero esse o melhor espetáculo por nós realizado; *Um elefante no caos*, de Millôr Fernandes, também proibido pela censura; A *mais sólida mansão*, de Eugene O'Neill; *Suburbano coração*, de Naum Alves de Souza e Chico Buarque; *Dona Doida*, de Adélia Prado; *Gilda*, de Noël Coward; *Da gaivota*, de Tchékhov; *Assunto de família*, de Domingos de Oliveira; duas montagens de *Oh que belos dias!*, de Beckett; *É...*, de Millôr Fernandes; *Viver sem tempos mortos*, textos de Simone de Beauvoir.

Nesse repertório, a censura se fez presente brutalmente. Para a montagem de *O interrogatório*, de Peter Weiss, texto saído do julgamento dos nazistas no Tribunal de Frankfurt, o diretor Celso Nunes optou por duas grandes telas laterais onde fotos de torturas nazistas denunciadas na peça se alternavam com slides de outras violências políticas no mundo contemporâneo. Não dávamos conta do imenso sucesso que foi essa encenação, transformada num espetáculo de protesto político. Vez ou outra, nos aparecia um censor, trazido por denúncias de que ali estávamos acusando de tortura o governo militar. De fato estávamos. Não entendiam o propósito da linguagem do espetáculo. Sempre se sobrevive.

Tínhamos a nosso serviço nossa eterna camareira, já não tão nova, Evangelina. Numa conversa, ela me contou que também atendia à família que a trouxera do Ceará, na qual havia um coronel. O militar havia lhe proposto que, em troca de um salário extra, Evangelina lhe desse informações sobre as conversas do elenco, nomes de colegas que nos visitassem nos bastidores e de personalidades que fossem nos cumprimentar após o espetáculo. Sei que ela se negou. E lhe sou muito, muito agradecida.

Em cada capital aonde chegávamos para apresentar *O homem do princípio ao fim*, de Millôr Fernandes, a peça era submetida ao censor local. Como se tratava de uma coletânea literária, havia trechos de diversos autores ou personalidades. Em Curitiba, no bendito ensaio geral, um dos censores quis proibir a oração de Teresa de Ávila, comentando que o Millôr exagerara o erotismo da santa. Fernando explicou que aquela era, sem dúvida, a prece que a religiosa nos deixara. Poderíamos provar, mostrando-a em sua obra publicada. Já em Brasília, outra cena do mesmo espetáculo, a de *A megera domada* entre Catarina e Petrúquio, sofreu um corte. A censura julgou forte demais o relacionamento verbal dos personagens. Em algumas cidades era permitida a leitura da carta de Getúlio, sem a imagem dele na tela. Em outras, como Porto Alegre, só a imagem, sem a leitura da carta.

A censura mais traumática foi a de *Calabar*, de Ruy Guerra e Chico Buarque. Direção de Fernando Peixoto, e Fernando Torres como coprodutor. Raramente — penso como uma forma de tortura — o texto era logo proibido. Cortavam-se cenas, palavras, páginas, mas não costumava haver, de imediato, condenação total. A máquina dessa tortura cultural só era ligada no ensaio geral, quando todo um elenco já estaria entregue à encenação, a produção já contaria com a bilheteria para pagar dívidas contraídas, já teriam sido contratados os espaços para as temporadas. Arruinar o teatro contestador fazia parte do exercício de poder. *Calabar* talvez seja a referência mais notória de censura em nossa dramaturgia — e que provocou a maior dor e o maior desencanto de um elenco.

Cinco espetáculos estavam previamente vendidos quando a censura vetou a exibição. Os produtores foram autorizados a anunciar a proibição numa nota de jornal, mas sem citar o título da peça ou o nome dos autores.

No caso de *Um elefante no caos ou Por que me ufano do meu país*, de Millôr Fernandes, o texto foi proibido de cara, com a recomendação de não se divulgar, por nenhum meio, tal notícia. O trabalho de mais de dois meses do elenco saiu do ar no absoluto silêncio. Para os atores e técnicos contratados, depois de tantos ensaios, o que lhes sobrara era um total desencanto. E desemprego.

Há um fato a ser lembrado sobre a temporada de um ano da peça *É...* em São Paulo, em 1979:

Fernando e eu nos hospedamos na casa do amigo Celso Nunes, no Alto da Lapa. A janela de nosso quarto, no segundo andar, dava para uma pracinha arborizada. Certa noite, depois do espetáculo e do papo de sempre com o Celso, nós subimos e nos preparamos para dormir. No momento em que deitei e apaguei a luz da mesinha de cabeceira e Fernando sentava na cama, um tiro estilhaçou a vidraça e a bala ficou cravada no teto de madeira do quarto. Ouvimos um carro arrancar em frente à casa. Por milagre, não fomos atingidos. Nosso susto atravessou a noite. Celso é testemunha desse atentado. De manhã, ele e Fernando foram à delegacia dar conta do sucedido. Nada aconteceu. Começamos a receber telefonemas ameaçando me liquidar em cena. Era uma situação-limite. Ou parávamos e voltávamos para o Rio, ou continuávamos com a encenação. Corajosamente e ao mesmo tempo aterrorizados, resolvemos prosseguir — não sei como. Contratamos quatro seguranças, armados, para tê-los na plateia totalmente iluminada a partir daquela noite. Somente ao nosso pequeno e prestigiado elenco falamos o porquê de tal medida. Corajosamente, eles também aguentaram o tranco. Tal situação extremada perdurou por um mês. As ameaças foram cessando. Aos poucos nos acalmamos e completamos um ano em cartaz com a peça, como estava previsto.

Politicamente, sabíamos que era uma retomada da radicalização do governo, com incêndios em bancas de jornal e uma censura mais forte em todo o setor cultural. Apesar de todos os obstáculos, aquela geração de atores e encenadores contou, quase sempre, com público suficiente para honrar a nossa arte — fosse esta contestadora ou não. E ainda ganhava-se com ela o pão de cada dia.

Por mais que viajássemos pelo país, religiosamente voltávamos ao Rio para uma temporada popular no João Caetano, não importando o gênero ou a estética da peça. Era uma regra. As plateias da praça Tiradentes lotavam, mesmo nos espetáculos ditos "difíceis". Nosso grande amigo Carlos Kroeber, com seu humor e sólida cultura, foi diretor desse teatro durante muitos anos. Uma noite, ao sairmos de uma das encenações de *Fedra*, que vinham contando com a constante presença de 1200 espectadores, lembro de ele comentar, germanicamente: "O povo brasileiro adora Racine".

A pergunta que me faço é: chegamos, nos dias de hoje, ao fim de uma era teatral? O que vi — e vivi — se esgotou? Durante a feitura destas memórias, recebo a notícia da morte de Antunes Filho, no dia 2 de maio de 2019. Amigo-irmão tão amado. Nunca deixamos de pelo menos nos desejar Feliz Natal e Feliz Ano-Novo. Setenta anos de amizade. Nos velhos tempos, quase que diariamente nos encontrávamos, ele e nossos amigos, na nossa quitinete da rua Rocha. Entre tertúlias literárias, teatrais, dividíamos o que tínhamos para comer, em torno da nossa mesa. Pela vida, quando conseguíamos estar juntos, nos abraçávamos e, acho, por saudades da nossa juventude tão esperançosa, tão afirmativa, quase sempre nossos olhos se enchiam d'água.

Faz tempo, a convite do programa internacional do Instituto Goethe, estivemos em Berlim com Michael Merschmeier, então diretor da importantíssima revista *Theater Heute*. Ao elogiarmos uma, para nós, deslumbrante montagem da peça *Der Park*, de Botho Strauss, com direção do grande Peter Stein, esse importante crítico depreciou o espetáculo do qual falávamos e afirmou que, nos últimos anos, não tinha visto nada maior e mais importante do que *Macunaíma*, de Antunes Filho.

Antunes Filho é uma referência definitiva de nossa cultura — não só teatral. Ele se dedicou, por quarenta anos, a formar, incansavelmente, centenas de atores, na crença de que, desde os primórdios, o alicerce do teatro é o ator.

Antunes, querido, tinha a minha idade. Assisto a mais uma ausência insubstituível.

Em 1982, Sérgio Britto me convidou para protagonizar *As lágrimas amargas de Petra von Kant*, de Rainer Fassbinder, numa produção do Teatro dos Quatro, a companhia que ele fundara com os amigos Mimina Roveda, figurinista, e Paulo Mamede, diretor e cenógrafo. Aceitei. E com muita alegria.

O texto chegara às mãos dele através do Instituto Goethe, dentro do programa de divulgação no Brasil da cultura alemã. A direção seria de Celso Nunes. Concordamos, de saída, que embora a peça tratasse da paixão da personagem-título por uma jovem, o que nos interessava era mais a visão existencial da heroína — jamais como uma doutrinação. Deixei claro que seria fundamental ir pelo "mistério inarredável" que todos nós somos. Para mim, a história de Fassbinder é o amor avassalador que se coloca inesperadamente diante de um ser humano, seja de que sexo for. Tampouco considerei que fosse "arriscado" encenar *As lágrimas amargas*, a despeito do preconceito que a homossexualidade inspirava e ainda inspira em boa parcela do público — haja vista a repercussão em torno do beijo que minha personagem e a de Nathalia Timberg trocaram na novela *Babilônia*, de Gilberto Braga, em 2015. A beleza do texto reside na recusa do autor em reduzir a um "rótulo" o amor entre duas mulheres. Nem sempre o relacionamento amoroso, seja de que sexo for, contém em si uma salvação — Fassbinder faz a jovem amante abandonar sua recente companheira de uma forma insensível, alienada. Jovem e solta. Petra é uma personagem fascinante porque não é tratada como "exceção". Durante os três anos em que ficamos em cartaz, algumas espectadoras foram ao camarim me falar sobre si próprias e confirmaram tal visão. Mencionavam momentos da vida em que se defrontaram com a possibilidade de amar outra mulher, mas não compreenderam ou simplesmente não suportaram sequer olhar para a "figura". Lembro em especial da confissão de uma delas, que tinha uma grande amiga desde a adolescência. Conviviam como irmãs. Casaram-se. Foram mães. Foram comadres. Certo dia, a amiga lhe revelou a paixão de uma vida. Ela a rechaçou. Nunca mais se viram. No camarim, essa espectadora repetia, emocionada: "Eu devia ter ouvido a minha amiga. Por que não compreendi a paixão da minha amiga?".

Além de nós mesmos, na nossa atividade pública existe a realidade ampla e irrestrita do nosso próprio país. Inúmeras vezes, politicamente, nos posicionamos e fizemos presença em muitos palanques, como no movimento das Diretas Já. No dia 12 de janeiro de 1984, quando foi realizado o teste de apoio popular a essa campanha, na cidade de Curitiba, lá estávamos eu e Fernando. Nos primeiros comícios, os políticos, penso, convidavam a nós, artistas, intelectuais, como um apelo, um chamamento, junto à população, buscando trazê-la para aquelas praças, onde ainda existiam palanques. A proposta das Diretas arrebatou o pensamento político do Brasil a tal ponto que a multidão logo veio, e exigiu a presença dos políticos — eles mesmos — com artistas ou não artistas presentes. Foi o maior congraçamento entre correntes políticas e o nosso povo. E, mesmo assim, as Diretas Já nos foram miseravelmente negadas. Há reportagens e documentários que mostram brasileiros chorando pelas ruas na madrugada em que nos foi dada, como saída, a morte do nosso voto. Como memória de uma crença absoluta num Brasil orgânico, lembro do último palanque da praça da Sé, em São Paulo, quando tivemos à nossa frente milhares de brasileiros reivindicando a nossa cidadania. E, na retaguarda política, já estava decretada nossa asfixia.

Como minha vida sempre correu em, pelo menos, três áreas — teatro, TV e cinema —, fui surpreendida, em março de 1985, durante o governo Sarney, pelo intelectual e político mineiro José Aparecido de Oliveira, com o convite para assumir o recém-criado Ministério da Cultura.

Minha reação foi de incredulidade. Comoveu-me o fato de, pela primeira vez, uma artista — e especialmente uma atriz — ser pensada para um tão alto cargo público.

Não querendo de imediato aceitar o meu não, Zé Aparecido, querido amigo, cuja figura eu respeitava e continuo respeitando, solicitou-me que naquele momento eu guardasse a minha resposta. Entendi o pedido. Ele estava a caminho de ser governador do Distrito Federal, e antes lhe caberia indicar seu substituto na Secretaria de Cultura de Minas Gerais.

Ingenuamente, acreditei que o convite fosse ficar em sigilo, mas a novidade logo transpirou, e minha vida virou um inferno. A única maneira de acabar com tanto desassossego era responder de uma vez, porém levei uns bons três dias até conseguir falar novamente com Zé Aparecido. Fugi com Fernando para o nosso sítio de Teresópolis, no meio do mato, mas, já no dia seguinte, avistamos, entrando pela cancela, a caminhonete de uma revista semanal. Recebemos os visitantes. Queriam a notícia em primeira mão. Caso eu confirmasse, estaria na capa da edição seguinte — do contrário, não. Não houve capa.

Voltamos ao Rio. Como encontrar Zé Aparecido, que estava totalmente envolvido na sua posse como governador? Eu o conhecera em reuniões de intelectuais, algumas vezes ele nos recebia em seu apartamento na avenida Atlântica, quando vinha de Belo Horizonte. Tínhamos um convívio agradável, com ele e com d. Leonor, sua mulher.

Enquanto esperava o momento de dizer o meu não, redigi a carta de recusa. Quando Aparecido quis—ou pôde—ser encontrado, o documento lhe foi entregue. Teria que acompanhá-lo a Brasília para agradecer ao presidente Sarney o convite feito a mim e, sendo possível, levar-lhe o nome que fosse indicado pela nossa classe. Na reunião em minha casa para esse fim, com algumas figuras do meio cultural, o nome logo lembrado, com apoio total, foi o de Celso Furtado, que estava indicado para ser embaixador do país junto à Comunidade Econômica Europeia, em Bruxelas. Alguém me passou o telefone desse grande homem público. Corajosamente, eu liguei, já tarde da noite. Ele mesmo, para minha surpresa, atendeu. Teria já sido consultado?, pensei. Informei que alguns representantes do nosso cinema, do nosso teatro, jornalistas, estavam indicando seu nome para o Ministério da Cultura e, claro, se ele permitisse, se concordasse, iríamos levar, no dia seguinte, a opção ao presidente da República, num encontro em Brasília. Celso Furtado respondeu que não poderia aceitar, porque, como devíamos saber, tinha sido indicado para ser embaixador na Comunidade Econômica Europeia. Tomei coragem. Insisti:

"O senhor me permite uma pergunta: acha essa sua função a serviço do Brasil em Bruxelas mais importante do que o cargo de ministro da Cultura do seu país?". Após um longo silêncio, veio a resposta: "Em princípio, não". Feliz, eu me atrevi a fazer a segunda pergunta: "O senhor permite, então, que se leve o seu nome ao presidente para o cargo de ministro da nossa Cultura?". Outra pausa demorada. E veio a resposta: "Permitiria, se não estivesse indicado para a missão em Bruxelas".

No dia seguinte, fui com Aparecido para Brasília. O presidente Sarney nos recebeu muito simpaticamente, em companhia de d. Marly. Entregamos o nome de Celso Furtado ao cargo de ministro da Cultura.

E minha vida voltou aos trilhos.

Desde que me entendo por gente ou, pelo menos, desde que comecei a ser convidada para participar de reuniões com políticos candidatos, ouço a mesma conversa: "A cultura é importante, é uma área pela qual todos temos o maior apreço, a cultura só nos enobrece, mas existem como prioridades a saúde, a educação, o saneamento, a segurança pública, a defesa das fronteiras, a construção de estradas, a defesa dos índios, a agropecuária, a preservação das florestas, a segurança das encostas, a construção de conjuntos habitacionais etc. etc. etc.".

No governo Collor, nossa área cultural foi dizimada. Com o impeachment do titular, Itamar Franco, seu vice, alcançou a Presidência. Nesse novo governo, renasceu a nossa esperança. Fui novamente convidada para assumir o Ministério da Cultura — uma consulta através de um telefonema, altas horas da noite. Tudo muito discreto. Agradeci mais uma vez.

O mandato de dois anos desse mineiro, surpreendentemente, nos proporcionou bastante oxigênio. Deu-nos, inclusive, o Plano Real. Apesar do papel de Itamar Franco na realização de tal plano salvador, aos poucos seu nome foi sendo apagado. Hoje, é como se ele não tivesse tido em absoluto nenhuma presença nesse extraordinário ganho administrativo de seu governo. A política é cruel.

No início dos anos 1980, voltei à TV Globo pelas mãos de Manoel Carlos, amigo e companheiro desde a Companhia Maria Della Costa e o *Grande Teatro*. Hoje, um novelista referencial. A novela era *Baila comigo*. Fernando e eu fizemos parte do elenco. Novela é folhetim, melodrama. É o que eu mais gosto de fazer em televisão, apesar do desesperado trabalho que é dar conta dos projetos. Na base, ainda são as histórias lidas por minha mãe, lá na minha infância.

O avanço e o apuro da indústria televisiva no Brasil se devem a José Bonifácio de Oliveira, o Boni. Com Daniel Filho nos bastidores, comandando com sucesso absoluto a dramaturgia e os elencos.

Sem deixar o palco, aceitei o convite para a segunda novela, *Brilhante*, de Gilberto Braga, em que me coube o papel da bandida que amava loucamente o motorista — o belo Cláudio Marzo. O serviçal a odiava. As vilãs têm, como castigo, no final da história, acabar sem homem ou num hospício ou numa cadeira de rodas. Homem é brinde. É a joia da coroa. Mas nesse caso, por exigência da audiência, a peste Chica Newman, riquíssima, acabou nos braços do apaixonado motorista. Foi, acho, a primeira bandida de novela a ganhar o amor de um galã no final da história.

Minha segunda bandida foi Bia Falcão, de *Belíssima*, de Silvio de Abreu, Sérgio Marques e Vinícius Vianna, que estreou no fim de 2005. Depois de meses de maldades e até de assassinatos, a criminosa segue para Paris, levando como amante Cauã Reymond nos seus magníficos e belos vinte e poucos anos! Gosto igualmente de interpretar cafetinas. Elas, nessas histórias, têm sempre uma humanidade, uma aceitação da condição humana, que, guardadas as devidas proporções, lembra a das abadessas. Aliás, são também muito religiosas. Ao tomar conta de um contingente feminino, claro, querem resultados — o dízimo. Mas, ao menos, possuem um lado maternal, acolhedor. Em 1991, Olga, minha cafetina em *O dono do mundo*, de Gilberto Braga, foi inspirada numa bela paulista quatrocentona que de fato dominou a alta prostituição oficiosa no Rio. Instruía as meninas a não receberem pagamento em dinheiro. Dinheiro era nojento. Que pagassem com joias, imóveis, viagens. Achei isso tão inteligente. A personagem acreditava que o dinheiro iria vilipendiar o ato do prazer, do amor. Prazer não pode ser pago com algo tão sórdido como dinheiro. Se a garota quisesse trocar por dinheiro o presente que recebesse, aí já era problema dela.

A personagem Jacutinga, que fiz em *Renascer*, de Benedito Ruy Barbosa, em 1993, era uma cafetina da roça, da Zona da Mata baiana, região do cacau. Arregimentava as meninas cujos pais não as perdoavam por terem se entregado antes do casamento. Além de carinho de mãe, ela lhes dava casa, comida e o melhor "freguês". No geral, desses meus quarenta anos na TV Globo, lembro saudosa a parceria de trabalhos realizados com Luiz Fernando Carvalho. Não só em novela. Estivemos juntos nas séries: *Riacho Doce*, de José Lins do Rego; *A pedra do reino*, de Ariano Suassuna; e na premiada e belíssima *Hoje é dia de Maria*, inspirada em texto do dramaturgo Carlos Alberto Soffredini.

À TV eu devo — e não só eu — um retorno financeiro que é origem e base de uma independência econômica nesta minha velhice. Isso depois de estar a serviço de uma dramaturgia eletrônica há mais de setenta anos. Fato a observar: na minha vida pública, quase sempre estive presente ao mesmo tempo no teatro, na TV e no cinema. Portanto, esses anos devem ser triplicados. Dei conta de mais de duzentos e tantos anos de trabalhos ininterruptos. É a alegria e a condenação a um "ofício". Participei de projetos referenciais como *O auto da Compadecida*, de Ariano Suassuna, minissérie de Guel Arraes, em seguida transformada num filme de grande sucesso. Uma direção também referencial. Sou-lhe eternamente grata por esse convite. Era a Nossa Senhora da minha infância, do quadrinho na parede, da medalhinha. A propósito, sou mariana — com muita unção — porque vejo em Maria a primeira feminista poderosamente atuante ao dar a Deus permissão de lhe gerar um filho nas entranhas: "Faça em mim segundo a Sua vontade".

Em 2013, me coube o Emmy Internacional de melhor atriz pelo trabalho no telefilme *Doce de mãe*, de Jorge Furtado e Ana Luiza Azevedo, uma parceria da Globo com a Casa de

Cinema de Porto Alegre. No ano seguinte, o telefilme foi transformado em série. Eu fui novamente indicada para o prêmio de melhor atriz. Dessa vez quem levou, gloriosamente, como diretor foi Jorge Furtado.

Sou de uma época em que o inglês do cinema americano estava tão presente nas telas que "I love you" era, aos nossos ouvidos, o som do amor. Até Noel Rosa registrou esse fato no seu samba "Não tem tradução". Saúdo a televisão por ter posto o nosso "eu te amo" — o nosso falar — na dramaturgia que se consome nas nossas telinhas domésticas como também nas telonas dos nossos cinemas. Há hoje a aceitação absoluta da dublagem. As pessoas de cultura sofisticada não gostam, mas a maioria do povo até prefere. E não só no Brasil. Também no mundo, onde os canais todos, abertos e fechados, e o cinema oferecem sempre filmes dublados. Já vivi uma experiência estranha, ao me ver dublada, em Roma, na apresentação do filme *Central do Brasil*. A dubladora italiana tinha uns tremeliques na voz, soluçava, parecia personagem de um melodramão nojento. Saí do cinema no meio da projeção. Em compensação, fiquei totalmente confortável ao me ver dublada em alemão. Dora manteve seu caráter.

Dentre as centenas de cenas que gravei na TV pelos anos afora, talvez a mais lembrada seja o café da manhã com Paulo Autran de *Guerra dos sexos*, em 1983, do inspiradíssimo Silvio de Abreu. Nós nunca havíamos contracenado. Vivíamos flertando com tal possibilidade. E onde aconteceu? Na televisão! Está guardado para sempre. Paulo e eu tínhamos essa ponte que nem sempre se apresenta no ator: humor. O "tempo da comédia", o "ser" comediante. Fizemos, sem ensaiar, a cena desse café. Nosso querido diretor Jorge Fernando, sem tempo suficiente, precisava fechar o capítulo. Ligaram as três câmeras, cobrindo todos os ângulos, e veio o comando: "Gravando!". Pelo resultado, parecia que tínhamos nos preparado a vida toda para aquela cena.

Guerra dos sexos foi um inesquecível encontro, não apenas entre mim e Paulo, mas do elenco inteiro. Absoluto acerto.

Em 2007, passados mais de vinte anos, mexendo em papéis e documentos, encontrei uma foto muito bonita, minha ao lado de Paulo, nessa novela, e decidi mandar essa foto para ele com um bilhete. Eu sabia que ele não estava nada bem de saúde. Mas, triste surpresa, naquele momento em que lhe escrevia, Paulo já estava internado. Mandei a foto, com o bilhete: "Olha como estamos bonitos", ou algo assim. Em seguida, recebi uma carta dele — a gente ainda é do tempo da carta. Guardei-a:

> *Minha querida Fernanda,*
>
> *Tenho uma antiga carta do Flávio Império, em que ele comenta como é a nossa convivência de gente de teatro. Ora somos íntimos, ora nos separamos. Continuamos amigos, ou não, de longe. E às vezes, nunca mais voltamos a nos falar. Ele sentiu necessidade de me escrever após assistir pela segunda vez* A amante inglesa, *para me dizer o quanto tinha gostado do meu trabalho, o quanto tinha gostado de mim. Até hoje essa carta me comove pela simplicidade do gesto. Esta carta é pra te dizer o quanto eu gosto de você, o quanto admiro o seu talento, a tua personalidade original e rara. Só para você registrar. Muito obrigado pelas fotos. Desta novela*

eu só tenho outras duas, mas não tão boas. Recebê-las agora, de você, com uma cartinha tão adorável foi uma alegria, o que quase não tem acontecido em minha vida ultimamente. Felizmente terminei minha carreira em glória. No último domingo, quando fui para o hospital com um infarto, após um ano de O avarento *em cartaz, devolvemos mil entradas do teatro. Meu infarto foi o meu fim como ator. Não posso dizer que estou contente. Karin tem sido de uma dedicação, não me larga e me diverte com seu astral privilegiado. Estou de cadeira de rodas, e com ela eu vou ao teatro, ao cinema, a restaurantes sem degrau. Meus médicos dizem que eu não vou morrer de câncer, que está controlado e praticamente não é mais visto nas chapas. O especialista de coração diz que eu estou ótimo e eu me pergunto: vou morrer de quê? Nunca me abri como neste momento. Talvez por isso, o controlado Paulo Autran está chorando. Como uma criança. Isso está me fazendo bem. Um beijo muito carinhoso para você, do colega e amigo que te ama,*

Paulo

Só então compreendi. Era uma carta de despedida de uma vida. Onze dias depois de enviá-la, Paulo nos deixaria. Claro que eu não sabia disso quando lhe escrevi como resposta:

Paulo, querido,

Eu me tornei uma pessoa melhor com a sua carta tão comovente, tão corajosa e tão amorosa. Chorei, e muito. Pelo passado, pelo presente, por que não dizer, pelo futuro. Sei, na pele, e também por olhar em volta, que não é fácil atravessar a chamada velhice. Falo de nós todos que ainda permanecemos, a caminho dos nossos noventa anos. Nós pertencemos a uma raça. Você é a imagem primeira dessa nossa raça. Amo a vida desesperadamente. O que é que eu posso fazer? Quando li na sua carta "terminei minha carreira em glória", "meu infarto foi o meu fim como ator", tive um estupor, um choque, um desassossego, uma adrenalina, se posso dizer, paralisante, porque se você para, se você encerra a sua vida de palco, toda a nossa geração para. Todos nós vamos com você, Paulo. Simbolicamente, em princípio, todos nós da nossa geração paramos com você. Essa é a importância da sua vida maravilhosa, Paulo. Você saindo de cena, fecha-se um ciclo da história do nosso teatro. Certamente o ciclo que mais deixou frutos para os que vierem depois de nós. Sua carta é um documento importante para mim. Sua carta eu guardarei comigo, e tenho certeza que, depois de mim, meus filhos saberão seu valor. Não poderia deixar de lhe escrever de volta sobre essa realidade na qual você está vivendo. Com toda a minha emoção e a minha esperança, digo a você que não quero aceitar a palavra "terminei". E seu fim como ator. Não quero. E infinitamente. Digo isso porque não acho que seja um sentimento inútil. Não. Não vou falar em Deus ou em reencarnação ou em energias. Eu me agarro, sim, é na existência mesma, na presença mesma, nas lágrimas mesmas, nas alegrias mesmas, embora poucas, como você escreveu. Preciso lhe dizer, aos 78 anos, que registro, que recebo suas palavras de amizade e de amor como se tivéssemos vinte anos, mas com cem anos de experiência de vida bem vivida. Na verdade, por mais que eu escreva, eu não consigo, lamentavelmente, dizer o quanto esse momento de sua vida me toca. Somos contemporâneos, Paulo, e somos interdependentes, Paulo, querido. Todos nós. Interdependentes. Agradeço a sua confiança em mim, ao me falar de seus sentimentos tão profundos.

Grande, grande abraço,

Fernanda

Creio que talvez eu tenha sido a última pessoa com quem Paulo se comunicou por escrito.

Quando de sua morte, em outubro de 2007, fui — na companhia de Carmen Mello, minha amiga e sócia — à Assembleia Legislativa de São Paulo, onde ele estava sendo velado. Naquela madrugada, abracei sua companheira de vida, a atriz Karin Rodrigues. Como em qualquer velório, àquela hora o salão estava praticamente ainda vazio. Lembro do rosto dele como Harpagon, de *O avarento*, seu último personagem, numa grande foto posta ao lado do caixão. Quando clareou o dia, os amigos começaram a chegar para a despedida. Carmen e eu voltamos para o Rio.

Com a partida de Paulo Autran, me veio um pressentimento doloroso — o fim de uma era. O constante e inarredável adeus de tantos e tantos colegas da minha geração.

Estranhamente, quando morreu Domingos Montagner, que era da geração de meus filhos, experimentei uma sensação parecida, de desolada tristeza, de imensa perda. Eu o vi em cena uma única vez, fazendo um Dario Fo. Ninguém interpretou Dario Fo como ele — com um pé no auto medieval e outro na modernidade. Não fazia só o engraçado, como comediante. Havia nele uma disponibilidade física que alcançava do palhaço ao rei. Domingos transmitia uma "transcendência" de herança cênica. Sua fala era domada, ritmada, projetada, assinada. Estava pronto para um Shakespeare, um Molière, um Gil Vicente. Mas ele também se foi.

No meu ofício há uma zona obscura que escapa à minha compreensão e que só posso comparar a certas vivências místicas. Por esse indecifrável sentir, entendi e respeitei o fato de minha irmã Áurea ter se tornado uma vocacionada sacerdotisa do candomblé. Sempre fui ligada a essa querida irmã, como unha e carne — amor igual também tenho por Aída, irmã tão visceralmente amorosa, materna. Áurea já se foi, aos 64 anos. Em poucas horas. Um espanto e uma carência sem fim. Embora mais nova do que eu cinco anos, foi a minha grande companheira pela vida. Era uma mulher forte, inteligente. Dona de um humor cruel e ao mesmo tempo afetuoso. Tinha muita presença entre os meus amigos, que a procuravam para consultas. Era alta funcionária pública, mas quando precisávamos de socorro profissional, ela ajudava na administração dos nossos espetáculos. Era mais que uma comunhão celular. Muito jovem, Aurinha contraiu tuberculose, e seu ainda noivo, Veriato

Vaz — filho de portugueses —, levou-a ao terreiro que frequentava! Ela se tratava com médicos. Fez pneumotórax durante quatro anos. Tomou todos os medicamentos específicos que existiam na época. A doença persistia. Curou-se, segundo ela — a cura foi confirmada por médicos a quem consultou —, com ervas indicadas naquele centro de candomblé. Casou-se aos dezoito anos e veio a se tornar, ela própria, após um longo noviciado, mãe de santo. Foi fundo nisso. Era uma devota consciente, se posso dizer. Uma estudiosa dessa fé afro-brasileira através da qual ela observava e vivia o mundo.

Na religião dela, por amor, silenciosamente, minha irmã olhava por mim, mesmo vivendo eu longe de sua crença. Éramos inseparáveis. Nós e nossa irmã Aída. Uma trindade indestrutível.

Nos belos e inquietantes anos da contracultura, a ordem era experimentar e seguir em frente, apenas pelo desafio da experiência. E não só na arte. Tudo ia muito além. Um grande amigo, homem de teatro, criador maravilhoso, me propôs: "Fernanda, eu te amo, quero trabalhar com você, mas para trabalhar comigo você tem que passar pelo LSD". Respondi que, nesse caso, não ia trabalhar com ele nunca. Eu não queria passar pelo LSD. Ele não se conformava. Propôs supervisionar a minha "viagem", à qual também Fernando assistiria. Depois repetiríamos a experiência, com a "viagem" de Fernando e eu como auxiliar. Mas eu não sabia e não sei até hoje — e tinha medo — como reagiria se entrasse numa trip de tal ordem. Não sei se eu "voltaria" ou não. Dentro da minha modesta humanidade, e dentro do meu ofício, já tenho que dar conta de muitas "viagens", outras possibilidades de vida, muitas visões contraditórias. Acontece que ao mesmo tempo que amo a consciência, eu idolatro o mistério inarredável de cada segundo que vivo. Sempre fui acesa. Presente. Sempre gostei de estar ligada. Não sei se por obra de glândulas, de enzimas, de herança genética ou seja lá de quê, atravesso o dia em estado de observação explosiva e de participação. Esse é o meu barato. E mal dou conta dele. Não consigo nem ficar bêbada. Já tentei muitas e muitas vezes, mas fico triste, vou murchando e, logo, durmo profundamente. Mas havia uma nova era. Hoje, para muitos, a palavra seria "alienados", mas abrimos grandes espaços em nossa domesticidade. Aos treze anos, Claudio, junto com amigos da mesma idade, viajou para o Nordeste em uma Kombi — que pertencia à mãe de um colega — com os amigos do colégio. O único responsável pela meninada seria o motorista. Em outra ocasião, aos catorze anos, ele e três primos mais velhos, filhos das minhas irmãs, se mandaram de carona para a Patagônia. Como eram muito cabeludos e os mais velhos já tinham barba, foram presos em Neuquén, uma província argentina, e colocados numa cela junto com um bandido boliviano — parece coisa do Nelson Rodrigues. Meu sobrinho mais velho, já formado em medicina, disse que queria a presença do cônsul brasileiro, uma vez que entre os detidos havia um menor de idade. Conseguiram se desembaraçar.

O que valia para o Claudio tinha que valer para a Nanda — por que haveria de ser diferente? Pelo fato de ela ser mulher? Esse argumento me batia muito fundo e acho que ela teve a mesma liberdade que ele. Acho. Às vezes pressinto que Nanda não acha. E talvez, por incapacidade minha de aceitação, de percepção, não tenha tido tão completamente. Ela se resolveu por conta própria, o que também foi ótimo. Mas fomos pais que emancipamos nosso filho aos dezesseis anos. Perguntei a Nanda se ela se lembrava se tinha sido emancipada na mesma idade do irmão. Ela não lembra. Portanto, acho que não foi.

Percebo e celebro as transformações daqueles anos como um desmonte necessário diante de um comportamento tragicamente cerceador. Ainda que, às vezes, à custa de desbundes totais, de seres humanos que "foram" e nunca mais voltaram. E daí? Só não aceito a "obrigação". O radicalismo de qualquer ideologia leva ao crime — parodiando Ionesco. Nos extremos há sempre uma assassina vivência fascista. Não cheguei ao desbunde. Mas fui até onde entendi e senti.

A memória se faz presente em ondas, e sigo nesta viagem, abismada, com a entrada do cinema em minha vida a partir de *A falecida*, de Leon Hirszman, tendo como base um texto de Nelson Rodrigues. Como se explica essa contradição, um comunista se interessar pela dramaturgia de um "reacionário" numa época tão extremada? A resposta é o fascínio de Glauber Rocha pela obra do Nelson. Ele defendia que olhássemos sem preconceito esse autor porque sua dramaturgia era única. O Cinema Novo se propunha, e Glauber era um líder. Nelson, quase invariavelmente, foi, nos nossos palcos, apresentado de uma forma delirante, onírica, operística. Mas o lado da doença existencial que muitas vezes o abandono social traz ao brasileiro sempre esteve em sua obra. É só saber lê-lo sem preconceito. A visão de Glauber Rocha influenciou também, e muito, Arnaldo Jabor, que dirigiu do mesmo autor *O casamento* e o antológico *Toda nudez será castigada*.

Leon focou o viés social-realista de Nelson Rodrigues de uma maneira surpreendente e pioneira. O casal central no texto não pode descer mais na miséria social, humana. No estertor da crise, ao marido só resta o futebol e, para a mulher, ao menos, a esperança de um enterro digno. Com essa finalidade, ela se torna amante de um grande bicheiro. O dinheiro que lhe vem do jogo do bicho, o marido o rouba e o perde na aposta no seu time. O Vasco. Zulmira morre e seu funeral é o que há de mais barato na praça. Hirszman, como Nelson e eu, era suburbano. Sempre conhecemos o valor de um sepultamento naquele mundo. Era uma realidade, não delírio autoral. Sei pela minha família. Durante anos eles pagaram seus enterros a prestação a uma empresa funerária. O carro fúnebre, as flores, o caixão, a missa de corpo presente, tudo rezava a tabela de preços. E de acordo com seu poder aquisitivo. O homem da funerária ia lá em casa receber a mensalidade. Até onde lembro, nunca usamos esses serviços. Pelo que me contam, ainda existem.

Leon filmou uma atmosfera abafada, opressiva, gordurenta, de calor sufocante. O céu sempre nublado — que ninguém imagina existir no Rio no verão. Chico de Assis, representante importante do Teatro de Arena, conduziu os atores e os figurantes. Produção pobre, pobre, pobre, de marré de ci.

Fizemos o filme na emoção total e arrebatada de uma tribo em festa. A filmagem foi na estação do Rocha, numa casinha de vila caindo aos pedaços, num longo corredor de moradias, "uma avenida", como se dizia então. Na cena do velório, eu me deitei quietinha no pobre caixão. O querido Chico de Assis supervisionou a comparsaria. Chamaram muitas vizinhas para participar do velório. Na mente popular não existe o "faz de conta". As moradoras convidadas levaram tudo definitivamente a sério. Choravam. Lembravam perdas particulares. Doenças incuráveis. A dona da casa, uma portuguesa muito idosa que sabia que eu tinha o Claudio, na época com dois anos, me aconselhava, assustada: "Não se deite aí, minha senhora, não faça isso. A senhora tem um filho pequeno que precisa de si". Não adiantava explicar que aquilo era cinema. Para ela, Zulmira era uma vizinha real, uma amiga que partia deste mundo.

Quando filmamos a cena do banho no quintal, não havia mais dinheiro. O banho é importante — é o momento em que, nelsonianamente, Zulmira convoca a tuberculose, acelerando, feliz, a chegada da sua morte. E era o nosso último dia de filmagem. Se a roupa molhasse, não teríamos como repetir a cena. Não existia outro figurino. A noite já caía. Finalmente os bombeiros apareceram, se posicionaram e esguicharam a água em cima de mim, no pequeno quintal. Dib Lutfi, o extraordinário Dib Lutfi, o nosso Colosso de Rodes, botou a câmera no ombro. Alguém abriu o guarda-chuva para protegê-lo. Leon gritou: "Ação!". E eu fui.

Nessa cena deixamos, com eterna saudade, a casinha no Rocha. O que fica das minhas filmagens é sempre a lembrança das equipes. E não é possível esquecer a senhora portuguesa dona daquela casa. Caminhava para os seus noventa anos. Tinha como companheiro um velho garçom aposentado. Segundo o que ela me contou, quando jovem fora mulher de um dos doutores que atendiam d. Pedro II, ainda imperador! Particularmente me mostrou umas poucas porcelanas, três garrafinhas de cristal com seus cálices e uma foto sua — bem jovem e bem-vestida. Linda.

A temática social impregna quase tudo nosso cinema. Embora a maior parte dos nossos cineastas venha da burguesia — muitas vezes abastada — ou, pelo menos, de uma classe que conseguiu se equacionar e se posicionar na vida. Não é muito sobre seu mundo que eles roteirizam e filmam. A reivindicação social, além de criativa, vai direto ao coração. É mais solidário e denunciador trabalhar personagens das chamadas classes desfavorecidas do que discorrer dramaticamente sobre homens e mulheres da "Alta Corte Brasileira". O "ser ou não ser" ainda não ocupa muito espaço em nosso cinema. Há uma exceção: Domingos de Oliveira. Toda a sua obra teatral e cinematográfica busca, sempre, na delicadeza, o "grande encontro existencial". Mesmo sofrendo, é preciso entender, buscar o outro, sentar e conversar, beijar, amar e perdoar. E em nada disso jamais existe pieguice, melodrama, em Domingos. É aí que está a sua assinatura.

A criação dessa linguagem política se deve a Nelson Pereira dos Santos. Seguido de Glauber Rocha, que nos trouxe a visão épica do nosso cinema.

Sigo a lista inesperada dos meus filmes com o delicioso e contestador *Tudo bem*, de Arnaldo Jabor, feito sem dinheiro, portanto sem tempo suficiente. Como sempre no nosso cinema. Filmado no interior de um apartamento meio destruído, em Copacabana. Outra equipe de ouro. Traz um saboroso e cruel humor no roteiro e na estética barroca. A temática social está lá. Paulo Gracindo e eu fazíamos o casal de protagonistas — ele era Juarez, um aposentado que, numa visão de protesto, conversava seriamente com os amigos já mortos. Um era fascista: Fernando Torres. Outro, comunista: Jorge Loredo. E

Luís Linhares, intelectual romântico, sempre recitando Castro Alves: "Estamos em pleno mar". Esse filme me rendeu o primeiro prêmio internacional de melhor atriz no Festival de Taormina, na Itália. Recebi-o no Brasil, num salão do Itamaraty.

Reencontrei Leon Hirszman em *Eles não usam black-tie*.

Na montagem do texto no Teatro de Arena, em 1958, o papel da Romana, que me coube no filme, foi criado por Lélia Abramo. É dessa atriz a sugestão de catar feijão no final da peça. Leon Hirszman quis homenagear Lélia na última cena, que eu executei dentro da mesma proposta. "À Lélia Abramo!"

O dia nascia naquela favela, Brasilândia, afastada do centro de São Paulo. Não acreditávamos que pudesse existir um lugar assim tão miserável na Pauliceia, já que a imagem do estado, na visão social para o resto do país, é muito defendida.

Os últimos dias de filmagem foram feitos durante o choque entre o Exército e os sindicatos do ABC, com Lula à frente das reivindicações, já a caminho da fundação do Partido dos Trabalhadores. O momento político que se vivia era de desespero.

Na última cena do filme, naquela cozinha paupérrima, só estavam Lauro Escorel, Guarnieri, eu e Leon, que emocionado nos falou que a cena seria, para ele, um modesto tributo a Eisenstein. Diante dessa oferenda, nos baixou uma comoção, diria, religiosa. Ninguém jamais filmou nada maior do que *O encouraçado Potemkin*.

Guarnieri e eu não ensaiamos. Só nos olhamos e começamos ganhando as pausas, os olhares, os toques de mão, nossos dedos salvando os bons grãos, os não podres — os grãos que, um dia, vão nos tirar da injustiça social do país.

A cena do feijão correu o risco de não entrar na montagem final, mas Celso Amorim, então presidente da Embrafilme, convenceu Leon a deixá-la. Leon concordou. E o filme ganhou o Leão de Ouro de Veneza. Leon era um criador.

Fui à premiação, verdadeiro congraçamento entre nós poucos que lá estávamos. O que nos coube naquele grande hotel do Lido, lotado de não sei quantas delegações importantes, foram duas acomodações. Na do térreo, no fim de um corredor, se instalaram Leon e mais alguns amigos e técnicos. Um único quarto "cinco estrelas" foi reservado para mim. Guarnieri chegou do Brasil com o rosto muito inchado. Grave inflamação dentária. Não havia mais apartamento livre. Passamos a dormir juntos, na mesma cama, o que facilitou que eu o socorresse por tanto sofrimento. A camareira se referia a ele como "*il tuo marito*".

O Leão de Ouro foi entregue a Leon e Guarnieri por Liv Ullmann.

Voltei antes da equipe. E então me vi sozinha naquele belíssimo e internacional cais do Lido. Era a hora do crepúsculo. Uma lua cheia entre os ciprestes. A Itália na sua plenitude. Entrei num *vaporetto*. Pequeno mas luxuosíssimo. Branquíssimo por fora, envernizadíssimo por dentro. Um *conduttore* gentilíssimo, num uniforme também branquíssimo, belíssimo como um jovem renascentista — um Rafael. Pôs-se diante do leme. Só eu de passageira — "singrando as águas do Adriático". O que me veio à memória? Os meus imigrantes. Chamei baixinho: "Vovó!".

Nesta vida tudo é possível.

Existe a crença de que no cinema e na televisão não se deve ensaiar — "Não ensaia muito que gasta", é o que se diz. Mas não se trata de uma lei universal. Li que para filmar um close os atores de Bergman faziam cinco, seis horas de laboratório. Nós não temos tempo nem dinheiro para tanto — tampouco estamos preparados para esse tipo de exercício. Aqui estabelecemos uma zona de improviso emocional e nos colocamos em disponibilidade. Minha única experiência com um "diretor" que não deixava margem para improvisação foi insólita. Impensada. Em 1971, eu estava em cartaz no Rio quando aparece no camarim uma mulher. Ela se apresenta: era casada com um corajoso produtor-programador, homem de atividade política de esquerda, que durante o tempo em que o Brasil e a União Soviética mantiveram relações diplomáticas trouxera para as nossas telas toda a filmografia russa — *O encouraçado Potemkin*, *Ivan, o Terrível*, *Alexander Nevsky*... Naquele momento do nosso radicalismo militar, esse homem se encontrava foragido. Ela, com dois filhos para criar, também se fez produtora de cinema. Um professor — ex-padre — que encenava havia mais de dez anos *A vida de Cristo* numa cidade chamada São Roque do Canaã, a trinta quilômetros de Colatina, no Espírito Santo, tendo me visto numa novela, ao contatar essa produtora, exigiu dela que eu entrasse no filme no papel de Nossa Senhora. O convite dessa produtora era inimaginável. Disse não. Desesperada, ela pediu que eu a amparasse. Sozinha, não tinha de onde tirar sua sobrevivência, ainda mais com filhos pequenos. Pediu pelo amor de Deus que eu não lhe recusasse essa ajuda. E lá fui eu. Aliás, lá fomos nós: eu, ela e uma freira, bem cedinho, num avião até Vitória. Era segunda-feira — folga no teatro. Em seguida embarcamos num ônibus até o centro da cidade de São Roque. Entramos num carro e no fim daquele dia chegamos ao povoado. Fui recebida com fogos. Dormi na casa desse diretor — professor e ex-padre —, junto à sua mulher e a seus filhos. Expliquei-lhe que Nossa Senhora eu não teria tempo de fazer, porque precisava estar de volta ao Rio na quarta à noite para o espetáculo. Poderia interpretar um papel menor. Fiz a Samaritana. A moça, professora do lugarejo, que fazia a Madalena, segundo me cochicharam, era amante dele. São José era interpretado por uma daquelas mulheres da roça que com a idade, o sol e a enxada vão virando homem. Com uma barba postiça, era um são José perfeito. Os anjinhos usavam luvinhas brancas ao balançarem os incensários.

Minha missão era, na hora em que Cristo pedisse: "Dai-me de beber", responder: "Desta água não beberás!". Quando chegou o momento, eu dei essa resposta. O diretor interrompeu a cena e disse: "Não". "Você tem que falar assim: 'Desta água'" — fez uma pausa, lentamente levantou o dedo diante dos olhos de Jesus e com o mesmo indicador solenemente fez o gesto de "não", concluindo — "'não beberás'". Ali não tinha Stanislavski, nem Meyerhold, nem Brecht, nem Grotowski. Era o ex-padre que dava o tom, e ele queria um tipo de representação didática, demonstrativa. Tive, nesse encontro, uma lição viva do teatro medieval. Digo isso sem ironia.

Nas nossas andanças teatrais pelo subúrbio do Rio, vi, um dia, num cinema do Méier, um cartaz com o anúncio: "Fernanda Montenegro em *A vida de Cristo*".

Aos quase setenta anos de idade, recebi o convite de Walter Salles para filmar *Central do Brasil*. Um furacão sacudiu a minha vida. Walter já tinha me procurado, no começo da década de 1990, para filmar a vida de Zuzu Angel, mas por alguma razão o projeto não foi adiante. Passa-se o tempo. Aceitei, muito feliz, o novo convite.

Havia o grande desafio de encontrar o menino para o papel protagonista de Josué. Fizeram inúmeros testes, sem resultado. Chegamos a ensaiar com um garoto. Não deu certo. A filmagem foi suspensa. Ou se achava a criança ou não haveria filme.

Certo dia, no aeroporto Santos Dumont, Walter foi abordado por um engraxatezinho. Mostrou a ele que não precisava de graxa — estava de tênis. O garoto propôs: "Me paga um sanduíche que, quando você vier de sapato, eu engraxo de graça". Walter perguntou se ele queria fazer teste para um filme, ao que o menino respondeu que nunca tinha ido a um cinema. Talvez por curiosidade, guardou o cartão que o Walter lhe dera. Demorou alguns dias para se manifestar. Telefonou, perguntou como chegar à produtora, pediu licença para levar um amigo junto. Queria companhia. Sabe-se lá que lugar era aquele. Fez o teste. E iniciamos as filmagens.

Realizamos pouquíssimas sequências do *Central do Brasil* em estúdio, foram dias de presença na estação da estrada de ferro e logo rumamos para o sertão da Bahia e em seguida para o também sertão de Pernambuco. Acampávamos onde fosse possível, pernoitávamos — por que não? — até em motel de caminhoneiros, diante dos caminhõezões encostados, com um vigia armado protegendo motoristas deitados em seus assentos.

Eu já trabalhei com crianças em novelas e em peças de teatro. O que costuma acontecer, sobretudo em televisão, é que muitas vezes as famílias, sem nenhuma experiência cênica, quase sempre ensaiam com elas em casa e destroem a espontaneidade da meninada.

Vinícius de Oliveira foi cuidado pela muito respeitada preparadora de elenco Fátima Toledo. Só que o essencial ele possuía: um olhar denunciador, comovedor, de uma total carência social, mas guerreiro, sem manha alguma, esperto, obstinado, independente. E isso fez o filme.

O roteiro não tem demagogia. Walter é um humanista. Dirige com forte emoção introjetada. Sem histrionismos. Para mim, o aspecto fundamental da direção de Walter Salles é não sabermos nunca onde está a câmera. O ator não trabalha com a obrigação de agradar àquela lente que se põe aqui ou ali. A câmera que sirva ao intérprete.

Dora, ex-professora primária, e Josué tiveram uma adesão

de público que eu nunca vira no cinema brasileiro. Até hoje, vinte anos depois, andando pela rua, cruzo com pessoas que vêm me falar sobre esse nosso filme. Graças a um produtor americano, Arthur Cohn, que se tomou de amores pela obra, veio a carreira internacional que culminou com a indicação do filme e da minha interpretação para o Oscar de 1999.

Diante da personagem Dora, voltaram-me à memória as professoras que tive, sobretudo a primeira, d. Carmosina, do grupo escolar de Jacarepaguá. E me perguntei o que teria levado Dora a deixar de ser uma Carmosina para se tornar aquela mulher amarga, descrente, cínica, ladra, escrevendo e manipulando as cartas ditadas por pobres analfabetos naquela importante estação ferroviária Central do Brasil. Nos vinte anos que se seguiram a essa filmagem, claramente o tema do roteiro continua vivo. Permanece a mesma realidade hostil, eternamente numa demagogia de promessas. São os sempiternos e inúteis "50 anos em 5". Ou em oito. Eu já tenho quase cem. E daí? Nessas décadas vividas vi — vimos — a chegada, sem pudor, de uma institucionalização da corrupção. Tornaram-na oficializada e nela todas as correntes políticas se contaminaram, sem exceção. Vamos para onde? Com quem? Tudo isso me faz pensar nas Doras que persistem pelo Brasil afora. No final do filme, o encontro daquela mulher com a criança é, sem dúvida, um comovente referencial de solidariedade e esperançoso humanismo.

O sucesso de *Central do Brasil* resultou em não sei quantos prêmios em diversos festivais: filme, diretor, atores, roteiro, fotografia, trilha sonora. Isso nas vitrines mais consagradas do circuito cinematográfico de Los Angeles, Nova York, Berlim, até em obscuros festivais na Polônia, na Macedônia, no Cazaquistão... Foi estranho: de repente, já velhusca, achando que ia finalmente ralentar o passo, dou por mim diante de todos aqueles holofotes aos quais jamais pensei chegar.

O impacto inicial foi no Festival de Berlim, de onde Walter saiu com o Urso de Ouro pelo melhor filme e eu com o Urso de Prata de melhor atriz. Quando acabou a exibição, no agradecimento, o primeiro a entrar no palco foi Vinícius, o nosso menino. Ainda guardo a sua expressão, o olhar surpreso, assustado, para a plateia que delirava. E depois, nós todos ali, emocionados, não conseguíamos sair do proscênio.

Até então, nunca o Festival de Berlim dera dois prêmios para a mesma obra — era contra o regulamento. O júri teria de escolher entre o filme e a atriz. E resolveram que premiariam os dois. Leslie Cheung, o extraordinário ator chinês de *Adeus, minha concubina*, como jurado, se apresentou como um dos defensores mais entusiasmados da dupla premiação — assim ele viria me esclarecer depois, no banquete que se seguiu à cerimônia. Aquele ser, para mim tão estranho, tão imenso ator, veio falar comigo, e com elogios, inclusive, propôs trabalharmos juntos num projeto! Vivi essa história de "Gata Borralheira". Uma parte minha assistia ao milagre. A outra, espantada, sofreu uma tensão tão grande que trincou um molar. No fim do banquete, já na madrugada, fui parar num pronto-socorro dentário. Deram-me um remédio poderoso que me permitiu esperar até chegar ao Rio.

Dos prêmios que recebi por *Central do Brasil*, um dos que mais me orgulho é o do National Board of Review, a importante e referencial associação dos críticos de cinema dos Estados Unidos. Não é o crítico do *NYT* ou o do *Los Angeles Times* —

são os críticos do país inteiro. Ali estava eu — coroa, chicana, cucaracha!

Após uma saudação feita por Lauren Bacall, uma mulher de talento, inteligente, arguta, independente, recebi de suas mãos o prêmio. Ficamos próximas e guardo os cartões que ela sempre me enviou.

Minha passagem de volta para o Brasil já estava marcada para a noite seguinte. De manhã, íamos assistir pela televisão ao anúncio dos indicados para o Oscar de 1999. *Central do Brasil* estava cotado para concorrer como melhor filme estrangeiro. Walter veio ao meu encontro no hotel. Pela transmissão da TV, ficamos sabendo da escolha do *Central* entre os filmes estrangeiros. E eu, com absoluta surpresa, candidata a melhor atriz, junto com Meryl Streep, Gwyneth Paltrow, Cate Blanchett e Emily Watson.

Imediatamente, a imprensa apareceu no hotel, num escritório montado pelo produtor. Fui me salvando com a ajuda da minha querida Lúcia Guimarães, que trabalhava no *Manhattan Connection* e fora conosco ver o anúncio da Academia. Então, me avisaram que eu tinha que ir, naquela noite, ao programa do David Letterman. Fiquei assustadíssima. "Não vou", eu disse. Eles arregalaram os olhos: "Como, não vai?!". Todo mundo naquele país daria um braço para ir ao Letterman. Tentei argumentar: "Ele não me conhece, não sabe quem sou eu, não viu o filme... O que é que ele vai fazer comigo, uma latina, uma brasileira?". Mas a realidade se impôs: "Você tem que ir, porque é fundamental para o filme, é fundamental para a indicação do filme e sua".

Sou pragmática — faço o que tiver que fazer. Não adoeço.

Se o resultado for bom, ótimo, se não for, segue a vida. Eu tinha assistido ao encontro de Letterman com Sophia Loren. Achei que ele a tratou, como de costume, com um humor simpaticamente quase corrosivo. E lá fui eu. Vi aquele homem me olhando muito ao me receber. Brinquei: "Estou olhando para você com muita curiosidade mas sei que você está olhando para mim também com muita curiosidade". Durante a entrevista ele foi muito simpático. Perguntou onde eu morava, se era perto da praia. Quando eu disse que morava no Rio de Janeiro, em Ipanema, ele se mostrou surpreso: "Em Ipanema?". E eu não resisti à brincadeira: "*I am the old lady from Ipanema*". A conversa correu com descontração. Sobrevivi. Como sempre. O Oscar requer uma trabalheira sem fim. No capitalismo, o lobby é jogo claro — não há necessidade de camuflagem. Tem que vender um produto? Então vai, sim, a todos os eventos, a todos os palanques, a todos os almoços, jantares e entrevistas em que exista um voto a ser conquistado. Dos programas mais intelectualizados até os mais populares. E os atores, diretores, produtores, fazem isso com muita disposição, porque, com frequência, são igualmente coprodutores dos filmes. Roberto Benigni, que ganhou vários prêmios naquele ano, realizou uma campanha impressionante de divulgação de *A vida é bela*, premiado como melhor filme estrangeiro.

Também vivi momentos encantadores naquela viagem interestelar ao me ver em jantares com Gregory Peck, Jennifer Jones, Jon Voight. Atores referenciais da época de ouro de Hollywood. Gregory Peck foi um galã único no seu tempo de glória. Viril, queixo forte, olhar honesto, uma voz centrada. O sonho do marido perfeito nos meus dezessete anos. Muito delicado e próximo, já nos seus oitenta, me falou da aceitação de que sua era havia passado quando depois do ótimo *Gringo velho*, direção de Luis Puenzo, ao lado de Jane Fonda; esse filme, apesar de sua qualidade artística, não foi prestigiado. Sequer notado. E, o mais grave para aquela indústria, não trouxe bilheteria. Segundo ele, seu tempo estava encerrado.

Em dois jantares, estive com Jennifer Jones. Bilionária, viúva do David Selznick, o poderoso arquiprodutor de campeões de bilheteria, entre eles *...E o vento levou*. Candidata a cinco Oscars e vencedora de um. Ela, na viuvez, passara a dirigir um grande centro educacional-cultural, o Museu Norton Simon, em Pasadena. Na conversa, lamentou nunca mais ter filmado desde quando titulou *Stazione Termini*, direção de De Sica, tendo como companheiro de cena Montgomery Clift. Perguntei, em particular, ao nosso produtor, Arthur Cohn, sentado ao meu lado, por que aquela atriz tão conceituada havia parado de fazer filmes. Ele se poupou: "Pergunte a ela". Como não ousei, ele me denunciou: "A Fernanda quer saber por que você, durante todos esses anos, não filmou mais". Ela respondeu com a maior simplicidade: "Porque nunca, nunca mais me convidaram". Tudo tem um fim neste planeta.

Na noite da premiação, no Dorothy Chandler Pavilion, Ian McKellen, que também fora premiado pelo National Board of Review, voltando para o seu lugar depois de um break da cerimônia, aproximou-se de mim e, muito gentil, perguntou: "Você sabe quem eu sou?". Como aquele ator glorioso, referencial do teatro inglês, podia achar que eu não o conhecia? Respondi: "Claro que sei quem você é!". E ele, sério, olho no olho, muito cúmplice, acrescentou: "Espero que você ganhe" — "*I hope you win*". Eu, igualmente cúmplice, respondi: "Eu também espero que você ganhe". Por coincidência, nenhum dos indicados que sentara naquela fila de cadeiras, à esquerda da plateia, foi contemplado.

Para mim, estar ali foi uma ficção. Digo isso sem diminuir em nada o valor do nosso filme no seu todo. Como aventura de vida, há um antes, um durante e um depois de *Central do Brasil*. Foi uma viagem mágica. Terrível e bela. Penso que conseguimos, Walter e eu, cada um a seu modo, sair melhor do que entramos. Como artistas e seres humanos. Esse "além-fronteira" na arte do cinema me alcançou através dele. A sua sensibilidade e a extrema qualidade votiva de sua direção é que me fizeram chegar até a Berlinale e aquele maravilhoso não Oscar.

Em 2005, vivi dois meses nos Lençóis Maranhenses, junto de Nanda e de meu neto Joaquim, então com sete anos, para filmar *Casa de areia*, de Andrucha Waddington, meu genro.

Eu ficava numa das pouquíssimas e modestas casas de tijolo do lugarejo. O banheiro era um vaso e um chuveiro elétrico. Uma mulher do povoado ia lá arrumar, deixar alguma coisa para eu comer à noite. Quatro netos e um filho dessa senhora estavam desempregados, porque ali não havia empregos. Viviam da pesca, de fazer balaios, de escambos. Sua nora fora para São Luís, com câncer no seio, e estava lá fazia meses à espera de tratamento. Um dia peguei o nome dela e liguei para o médico responsável, na capital. Ele me atendeu com atenção. Eu me identifiquei. Contestei o descaso hospitalar. Passei os dados da doente. Começaram a tratar daquela brasileira. Esse telefonema não me vangloria em nada. Pelo contrário.

Filmávamos até antes do almoço. Esperávamos cair a tarde, porque, ao meio-dia, a luminosidade era tão intensa que não dava para abrir os olhos. Ficávamos maquiados, fechados num corredor de contêineres com ar condicionado à beira do primeiro paredão de areia ou na pequena comunidade. Foi só nesse lugar que entendi realmente o que são palhoças — as "casas" sobre a areia, com paredes e teto de palha vinda do palmeiral em volta, sem porta e sem janela. Apenas os vãos. Comovente é o fato de que fazem sempre suas festas. No dia do bumba meu boi, fomos para a frente da igrejinha assistir: os bois naquelas fantasias de trapos, e todo mundo mandando um batuque poderoso.

Dos filmes referenciais que fiz, considero *Casa de areia* um presente dos deuses. Tocante. Andrucha é um poderoso cineasta instintivo. Devo a ele quatro trabalhos dos quais me orgulho: *Gêmeas*, *Casa de areia*, *Rio, eu te amo* e *O juízo*.

A minha lista é qualificada: Domingos de Oliveira, Cláudio Assis, Leon Hirszman, Luiz Fernando Goulart, Arnaldo Jabor, Paulo Porto, Jayme Monjardim, Zelito Viana, Claudio Torres, Carolina Jabor, Andrucha Waddington, Cacá Diegues, Eduardo Ades, Mike Newell, Suzana Amaral, Karim Aïnouz, Walter Salles.

De Glauber Rocha tive um convite em 1967 para fazer parte de *Terra em transe*. Na época estávamos a caminho de São Paulo, com nosso elenco contratado, onde permaneceríamos por quatro anos. Não tinha como aceitar tão importante convite. A atriz

Glauce Rocha nos deixou nessa sua interpretação a memória de seu imenso talento.

De Marcos Bernstein, um dos roteiristas de *Central do Brasil*, veio o convite para *O outro lado da rua*. Feliz encontro com Raul Cortez — foi o nosso último trabalho juntos. Esse filme, sobre aposentados de Copacabana, informantes da polícia, rendeu-me o prêmio de melhor atriz no Tribeca Film Festival de Nova York. Lembro também do curta de Eduardo Ades — *A dama do Estácio* —, com o qual, nos festivais por onde andamos, já levamos muitos prêmios, Eduardo e eu.

Às vezes os personagens de uma história são também determinantes para que eu aceite um convite. Foi assim com *Olga*, de Jayme Monjardim, a quem agradeço o papel de Leocádia Prestes, mãe de Luís Carlos Prestes. A figura dessa mulher pertence à galeria das heroínas absolutas, por seu empenho para resgatar a neta, Anita Leocádia, da prisão nazista onde Olga deu à luz. Leocádia é uma brasileira referencial. Quando morreu, em 1943, na Cidade do México, todos os ministros de Estado foram honrá-la. O general Cárdenas, titular da Defesa do governo Ávila Camacho, dirigiu-se pessoalmente a Getúlio Vargas e se propôs a ficar de refém no Brasil para que Prestes, na época preso político, pudesse estar presente no enterro da mãe. Getúlio nem sequer lhe respondeu. Pablo Neruda escreveu para ela uma ode comovente, e a leu ele mesmo, em seu funeral. Transcrevo parte da saudação: "Senhora, fizeste grande, tão grande a nossa América/ deste-lhe um puro rio, de águas colossais:/ deste-lhe uma árvore alta de infinitas raízes:/ um filho teu, digno de sua pátria profunda".

Muitas vezes, o que me toca é a linguagem amoral da narrativa. Dou como exemplo a filmografia de Cláudio Assis, com quem fiz, em 2016, *Piedade*. Amo e respeito o destempero criativo de Assis.

Até o momento, segue esta minha vida cinematográfica com *A vida invisível*, de Karim Aïnouz — cineasta que nos honra ao nos chamar para estarmos ao lado dele em suas desafiadoras criações. Espero que eu tenha correspondido a esse feliz convite. O filme de Karim Aïnouz, para nossa imensa alegria, venceu a mostra oficial Un Certain Regard no Festival de Cannes, em maio de 2019. Em agosto do mesmo ano, foi escolhido para representar o Brasil na disputa por uma indicação ao Oscar.

Volto no tempo — 1991, quando recebi, por intermédio da produtora Monique Gardenberg, o convite para trabalhar com Gerald Thomas em *The Flash and Crash Days*. Tão logo nos encontramos, Gerald me sondou: e se ele chamasse também a Nanda? Respondi que perguntasse a ela. E como pouco tempo depois ele se tornaria meu genro por quatro anos, costumo brincar que, ao me convidar, Gerald Thomas já estava mais interessado, além do talento dela, na própria Nanda. Agradeço a Gerald por ter nos juntado, embora trabalhar em família, no teatro, no circo, nunca tenha sido novidade.

As encenações da minha geração, lá no começo, ainda tinham como propósito, na sua maioria, servir ao texto, mas a submissão total à palavra veio sendo quase toda desmembrada desde o início do século XX. Nos anos 1960, tudo que ainda parecia estruturado e acadêmico voara pelos ares na explosão da contracultura. Havia muito que as demandas do espetáculo se tornaram mais importantes do que a servidão "bloqueadora" à palavra. Gerald Thomas é um dos sacerdotes desse culto. Ele é um criador absoluto, um aglutinador ao juntar o ator às artes plásticas, à música e, por que não?, à palavra. E ao dar a tal atrito uma unidade cênica encantatória no seu "desconforto".

Thomas talvez temesse que ficássemos "desassossegadas" com o que tinha em mente para nós, mãe e filha. Tratou, e com ótimo resultado, de se cercar de dois atores, conhecedores de sua linguagem cênica, que trabalhavam com ele há mais tempo, Luiz Damasceno e Ludoval Campos. Numa das cenas, Nanda e eu tínhamos que nos masturbar, lado a lado. Ela usando seu sexo e eu chupando um pirulito. Creio que a nossa adesão imediata à referida cena, inclusive logo nos empenhando em realizá-la, resultou em certo espanto. Na retaguarda, Nanda e eu nos divertíamos com essa expectativa. O espetáculo, num cenário inquietante, explodido e ao mesmo tempo compactado, de Daniela Thomas, começou sombrio, doentio. Aos poucos, foi sendo levado para o humor de um grand-guignol, em que eu tentava o tempo todo matar a Nanda e vice-versa. Gerald, como regente absoluto de suas encenações, nunca sai dos bastidores nem do comando geral. Durante um ano, íamos para o teatro boas horas antes da apresentação para acrescentar algo ou nos livrar de algo.

A Nanda chegou logo e inteiramente fiel ao que Gerald pedia. Eu demorei. Não chego nunca rápido a um personagem. Nunca.

Como mãe e filha, *The Flash and Crash Days* foi, sob todos os aspectos, um espetáculo memorável em nossas vidas. Houve momentos de muita particular comoção — como o jogo de cartas que adorávamos fazer. Construímos a cena lembrando os jogos da família, meu pai chorando as cartas, com aquela malícia de jogo doméstico, todo mundo ali, os velhos e as crianças, e cada um tentando passar o outro para trás. Levamos isso para o palco. E trago na memória o final do espetáculo. Nós duas agressivamente nos enfrentando, entre ódio e amor, atirando as cartas uma na outra, como pedras ou explosivos, ao som de Wagner.

E chegamos ao Festival de Teatro de Nova York, onde tivemos uma consagração. Um festival cujo programa incluía nada menos que Bob Wilson, além de muitos outros grupos importantes. Seguimos nos palcos de Hamburgo, Colônia, Lausanne, Lisboa. Em Copenhague, o sucesso foi tão grande que voltamos para mais apresentações, sempre recebendo críticas enaltecedoras e com absoluta presença de público.

Nanda já demonstrava inteligência cênica — que é um aspecto fundamental e não facilmente encontrado em atores — aos catorze anos, quando nós, pai e mãe, a vimos em cena pela primeira vez no palco do Tablado, no ensaio geral de uma peça infantil de Maria Clara Machado, cuja trama, camufladamente política, se passava numa casa de tango em Buenos Aires, num período em que essa dança fora proibida pela polícia. Nanda fazia a dona do cabaré, a Mamita. Assistimos da cabine de luz ao ensaio, anônimos. E a vimos representar, dançar, falar em espanhol, "jogar" com muito humor. Completamente ela.

Nanda é uma atriz de talento reconhecido. Não somente no Brasil. Em 1986, no Festival de Cannes, lhe coube o prêmio de melhor atriz por *Eu sei que vou te amar*, de Arnaldo Jabor. É também referência como escritora e colunista.

Um dos maiores orgulhos de minha vida de atriz foi ter Dercy Gonçalves de amiga. Amiga amiga. Trocávamos flores e cartões nos nossos aniversários e a cada fim de ano. Dercy tinha a Nanda como sua sucessora. Disse isso muitas vezes publicamente. Era um ser humano arrebatador e é aí que está sua dimensão de atriz comediante, única. Ela tem uma história afirmativa e desafiadora. Lembro de uma viagem que fizemos juntas para São Paulo quando ela me "informou": "se esse avião cair, saio andando". Nossa Dercy querida.

Claudio, desde cedo, sempre desenhou, pintou. Já se preparando para o vestibular na área de Comunicação Visual da UFRJ, passou a fazer cartazes e cenários para jovens grupos teatrais. Com amigos-colegas fundou a empresa Conspiração. Dirigiu *Redentor*, *A mulher invisível*, *Além do futuro*, *Traição*, a série *Magnífica 70*. Em 2012, com a série *A mulher invisível*, recebeu o prêmio Emmy de melhor série de comédia.

Ao ver, num palco ou em filme, uma filha e um filho tocados pelo mesmo ofício desafiador de seus pais, penso que metade das nossas falhas no campo do relacionamento familiar foi entendida, aceita e perdoada. Não existe fato mais importante e abençoado.

Na nossa vida mais íntima, na nossa família, tudo tomou outro rumo diante da inesperada crise de saúde que atingiu Fernando em 1987.

Fernando vivia um momento delicado. Sua mãe sofrera um AVC e estava presa a uma cama, com a memória destruída. Silencioso e reservado, fechado dentro de si, não lhe era fácil aceitar tal quadro e lidar com ele. É possível que tenha sido esse o motivo de a fala de seu personagem na primeira cena de *Fedra* haver provocado nele um insight emocional extremado — "Além do mais, que riscos podem vir/ De uma mulher que morre e deseja morrer?/ Atacada por um mal que teima em ocultar,/ Cansada de si própria e do sol que a ilumina/ Fedra não pode mais te causar qualquer dano". Foi justo nessa frase que Fernando, em cena, parou. Calou-se. Eu, na coxia com Boal e com os demais atores, ficamos com a respiração suspensa. Ninguém entrou no palco — quem ousaria? Eu não me movi. Pensei: ele vai encontrar uma saída. Ele sempre encontrou uma saída nos momentos mais agudos, mais difíceis. Depois de um tempo que me pareceu interminável, ouvi-o se dirigir à plateia: "Só posso continuar o espetáculo se eu ler o texto. Se vocês concordarem, eu continuo, caso contrário podem se dirigir à bilheteria para receber o valor do seu ingresso". O público aplaudiu calorosamente. Carinhosamente. O espetáculo seguiu.

Mas o texto se apagou de sua memória para sempre. O pior pesadelo da vida de um ator tinha acontecido com ele. Já em casa, chamamos o nosso médico para um atendimento doméstico. Fernando estava com a pressão altíssima. Propus suspender o espetáculo da noite seguinte. Fernando foi contra: "Não, não se suspende espetáculo". Segundo o clínico, ele não tinha condições de, no dia seguinte, entrar em cena. Dois dias depois, Lineu Dias, nosso querido Lineu, o substituiu.

Se aquela crise tivesse acontecido nos dias de hoje, Fernando teria sido socorrido certamente por um neurologista. Na época, quase sempre, era na psicanálise ou na psiquiatria que se procurava resposta para muitos dos nossos males. Ele teve uma isquemia, a qual, porém, foi tratada como bloqueio psíquico. Um expoente na área prescreveu um ansiolítico da moda, que o punha completamente fora de combate. E, claro, sessões de análise. Foi o início de uma longa doença dentro de um longo tratamento errado.

Fernando era bipolar e sempre bebeu muito. Nessa ocasião, já não bebia fazia anos. Em honra a ele, devo esclarecer que a bebida nunca perturbou o seu comando. Foram dezessete anos de total presença e gerência em nossa vida profissional.

Para um ator, estar em cena sem memória é não ter presente, passado ou futuro. E quando essa tragédia acontece, ela não atinge só o ator. No caso de Fernando, atingiu também o artista, o idealizador, o produtor, o executivo, o diretor, o homem que tinha o dom de congregar elencos e mais elencos. O que nos socorreu foi o próprio teatro: o diretor amigo que era Boal, o elenco unido, fraterno, após um ano em cartaz no Rio, partimos para uma longa excursão pelo Brasil — São Paulo, Campinas, Santos, Belo Horizonte, Natal, Cuiabá, Fortaleza, Curitiba, Porto Alegre, Teresina. Dentro dessa nossa persistência e disciplina, Fernando, embora debilitado, sempre esteve presente. Foram mais de dois anos encenando *Fedra* e revezando o elenco. Juntos pelo país afora, Jacqueline Laurence (minha amiga e companheira em tantas peças), Lineu Dias, Giulia Gam, Cássia Kiss, Wanda Kosmo, Sebastião Vasconcelos, Joyce de Oliveira, Betty Erthal e Edson Celulari.

A Edson eu devo um eterno agradecimento, por sua grande humanidade e colaboração. Um ombro amigo, uma mão estendida, que nos acolheu, a mim e a Fernando, durante toda a longa temporada do clássico de Racine.

Depois de uns anos em cartaz com *Dona Doida*, de Adélia Prado, encomendamos a Naum Alves de Souza um musical — *Suburbano coração*. Belo texto e belíssimas canções de Chico Buarque de Hollanda sobre a peregrinação de uma mulher, já solteirona, em busca do amor de seus sonhos. Chamamos para o elenco três colegas referenciais: Ana Lúcia Torre, Ivone Hoffmann e Otávio Augusto. Cenário de Claudio Torres, escolhido por Naum. Após um ano de sucesso no Rio, organizamos, como sempre, uma excursão pelo Brasil a partir de São Paulo. Tudo acertado. Tínhamos o patrocínio do Banco Bamerindus, cuja sede era em Curitiba, de onde voltamos para o Rio naquele nefando dia. Depois de assinarmos, Fernando e eu, o compromisso junto ao setor cultural da organização, ao chegarmos em casa à noite, fomos informados pela TV de que no dia seguinte seria feriado bancário e que quase todo o dinheiro em circulação fora confiscado no país. Era o início trágico do governo Collor.

Vivíamos, na época, só de teatro. Não tínhamos reservas financeiras. Já havíamos entregado o teatro no Rio, renovado o contrato com o elenco, quitado a reserva do Cultura Artística, em São Paulo, reestruturado o cenário para esse palco bem maior e, além de tudo, estávamos comprometidos com diversos produtores locais que nos acompanhariam na futura excursão pelo país. Diante daquele desmonte econômico e político, chegavam telegramas e mais telegramas, dos nossos vários colaboradores, cancelando todos os compromissos, inclusive em São Paulo.

Nesse sem saber para onde ir, os meus amigos atores — Ana Lúcia Torre, Ivone Hoffmann, Otávio Augusto, aos quais agradeço eternamente — com imensa generosidade abriram mão de seus contratos.

Fernando estava no pior período de sua longa crise neurológica, recolhido na sua inarredável depressão. Lembro que, naqueles dias, chovia. Atmosfera nublada. Como se até o sol tivesse sido confiscado.

E *Suburbano coração* acabou ali. Nunca mais voltou à cena.

Eu me vi sem nenhum amparo. Nenhuma possibilidade de socorro. O Brasil se resumia a filas e filas de modestos cidadãos diante dos guichês de tudo quanto era banco, desesperados, tentando saber o que lhes sobrara naquela derrocada. Lembro do Banco Boa Vista, no Jardim Botânico, onde meus pais tinham uma pequena poupança. Para tentar acalmá-los e saber a realidade da situação, entramos, Fernando e eu, numa fila sem fim. Chovia. Na porta, um guarda controlava uma abertura de pouco mais de cinquenta centímetros por onde só se entrava quando outro cliente saísse. Havia no lobby sofás, poltronas onde pessoas, talvez técnicos de enfermagem, atendiam os idosos, prostrados.

Ouço muito meus filhos. Foi o que fiz mais uma vez naquela situação inesperada, impensada, destrutiva. De Claudio veio a frase: "Para, mãe. Para". Parei. Acontecesse o que acontecesse.

Só dali a três meses, ainda dentro do estupor daquele desumano desgoverno, retomei, como pude, um dos nossos espetáculos. O mais transportável que tínhamos. Fomos com *Dona Doida*, um monólogo, para São Paulo. E, como sempre, a cada decênio, lá ficamos por quatro anos. Percorremos mais de cinquenta cidades do interior do estado. Foi nessa jornada que conheci a produtora Carmen Mello, e ela passou a nos agenciar, a mim e a Nanda. Já são quase trinta anos de sociedade. Uma grande amizade nos liga. Na mesma época se juntou a nós Jadir Ferreira, que desde então me secretaria com inteira capacidade.

O governo Collor anunciou a extinção do Ministério da Cultura sob a alegação de que o fim da Lei Sarney — uma antecessora da Lei Rouanet — significava "uma limpeza da área cultural no que se refere à ação desonesta de igrejinhas, guetos culturais, grupos privilegiados". E mais: total "ripa", como sempre, nos atores.

Numa carta aberta, respondi ao presidente, contestando e pedindo respeito, em especial, ao nobre ofício que é o de ator, pois sempre sobra uma cobrança sórdida, hostil sobre o nosso ofício. O dinheiro público da cultura invariavelmente passa por comissões e comissões e mais comissões, dando aval para reais produtores e também, infelizmente, para "não reais produtores". Esse gesto de desprestígio é uma agressão cuja origem se perde no tempo. Na França e em melhores países da Europa, atores não eram enterrados em cemitérios cristãos. Por permissão real, só assim, Molière teria sido sepultado na área dos suicidas e das crianças mortas sem batismo, no cemitério Saint-Joseph. Apenas em 1817, seus — supostos — restos foram transferidos para o Père Lachaise. Por séculos, a Igreja católica repudiou a arte do ator por julgar herética a pretensão de viver mais que um destino e pela falsidade apresentada como verdade.

No Brasil, até o começo dos anos 1950, as atrizes, assim como as prostitutas, para poderem circular à noite, eram obrigadas a portar uma carteirinha expedida pela polícia. Com relação às atrizes, numa visão burguesa ou numa posição antilibertária radicalizada, uma "mulher honesta" realmente teria coragem de exercer essa profissão? Trata-se de um eterno posicionamento persecutório. Latente — mesmo quando se dá certo.

No período trágico do governo Collor, antes de irmos para São Paulo, fizemos três apresentações do espetáculo em Belo Horizonte, onde nossa amiga dra. Lúcia Mendes, ao ver Fernando com a pele esverdeada, nos alertou, mostrando-lhe um dicionário químico, sobre os riscos da composição da medicação que ele usava. O caso exigia uma séria reavaliação. Seguimos — não tínhamos outra saída — com a temporada para São Paulo, onde liguei para o dr. Drauzio Varella, que recomendou internação imediata. Fernando estava perigosamente intoxicado. Para surpresa nossa, foi operado. Tiraram-lhe a vesícula, e descobriram a existência de dois aneurismas abdominais. Por indicação de colegas que o atenderam no hospital, veio avaliar seu estado o conceituado dr. Valentim Gentil Filho, psiquiatra, com quem, em dois meses, tudo nele se reverteu. Milagres acontecem. Fernando voltou à vida.

Após aqueles oito anos malditos, para ele tudo recuperou a nitidez. Mas já era outro o país, nossos filhos já eram mais adultos, um mundo se propunha diferente.

Em honra a tal retomada, como não lembrar aqui, com saudade, tantos outros momentos passados, quando nós, muito mais jovens, nossos filhos ainda crianças, experimentamos algumas aventuras que quando adolescente eu jamais pensei viver. A começar por nossa primeira viagem ao exterior, nos anos 1970. Eu sonhava, cá comigo, caladinha, em ir para Paris, Londres, Roma. Mas Fernando determinou: "Vamos a Cuzco e a Machu Picchu. Vamos ao Peru".

Confesso que, ao pisar naquele país e olhar aquele mistério, me vi em outra galáxia. Conheci um sentimento de sagrada integração com este nosso continente. Uma adesão apaixonada a este chão. Embora a realidade política seja eternamente destrutiva, dei e dou graças a Deus por ter como solo a América do Sul.

Em Lima, vindos de um Brasil militarizado, num radicalismo estrangulador, nós nos assustamos, claro, ao ver que quase todas as bancas de jornal traziam fotos enormes de Fidel Castro e Che Guevara, publicações em fascículos de Karl Marx e de

Engels, periódicos comunistas. Para nós, pareceu um milagre a liberdade ser possível.

Seguimos para Cuzco. Visitamos as catedrais barrocas, as ruínas de templos, as muralhas. E uma das universidades mais antigas das Américas — talvez a segunda; a primeira está em Lima. Dentro dela, numa arquitetura poderosa e sombria, encontrei uma pequena banca de livros. Era um tempo de grande interesse por viagens místicas. Com droga ou sem droga, viajava-se. Eu queria muito ler uma obra referencial na época, *O mistério das catedrais*, de Fulcanelli, tido como o último dos alquimistas. Livro publicado em 1926. Temática: catedrais de Paris, Amiens, Bourges e Chartres. Achei misteriosamente o livro, que até hoje guardo comigo, naquele lugar tão sagrado, solo de uma raça indestrutível. Em Machu Picchu, a altitude provocou em mim uma enxaqueca impensada. Fernando e as crianças foram até as ruínas. Eu lamentavelmente não tive condições e permaneci sentada na varanda de um restaurante em frente a uma descomunal montanha. Tudo que vi no Peru me tocou mais do que, no Egito, as pirâmides e a esfinge.

Um prêmio Molière meu e outro de Fernando, em 1973, renderam duas passagens aéreas Rio-Paris. Nossa ansiedade diante dessa segunda viagem em família fica evidente pela intensidade desmesurada do roteiro: em 45 dias visitamos Paris, Londres, Roma, Lisboa, Nova York e, exigência absoluta das crianças, a Disney World. Como já mencionei, também fomos a Bonarcado, em memória aos meus antepassados.

Estávamos em Florença quando Claudio fez onze anos. E lembro que, ao chegarmos a Veneza — como esquecer? —, a

Nanda olhou a praça de São Marcos e disse: "É igual a Cuzco, mãe!".

Uma viagem ao exterior nessa época não era um acontecimento banal na vida de uma família de classe média. A avidez de conhecer o máximo possível vinha da ideia de que talvez não houvesse uma segunda oportunidade.

Ainda nas melhores lembranças domésticas, trago algumas conquistas simples, mas imorredouras — gosto dessa palavra. Adquirimos um mato dentro de Teresópolis, com uma casa de caboclo. Um sítio abandonado. Durante muitos anos, tivemos esse nosso chão. Nós nos vimos "quase hippies" diante daquela natureza. Por teimosia mais de Fernando, nada de luz elétrica, só banhos de bacia, estrados como camas, almofadas de crochê pelo chão e plantaçõezinhas domésticas de brócolis, ou de alface, ou de cenoura, ou de espinafre — horta em louvor à minha infância. Nossa primeira propriedade. Foi paga em oito anos, sem juros. Chegamos ali por um anúncio de jornal. Para surpresa nossa, a roça ficava num enclave entre duas grandes fazendas da importante família Magalhães — o dr. Jaci Magalhães, então secretário de Planejamento do estado do Rio, e irmão de Juraci Magalhães, ministro das Relações Exteriores do regime militar. Sem dúvida muito do golpe militar deve ter sido sacramentado naquele além-mundo. Frequentamos obsessivamente aquele mato, nem que fosse para dormirmos lá só uma noite. No período em que moramos em São Paulo, em muitos domingos depois do espetáculo, íamos de carro para lá, passávamos a segunda-feira e voltávamos na terça, cedinho. Lá nos sentíamos amparados. Tínhamos um chão nosso.

* * *

Fernando só voltou ao palco, ao meu lado, na montagem de *Dias felizes*, de Beckett, com direção de Jacqueline Laurence. Seu personagem era Willie, que passa toda a peça na encosta do morro onde Winnie, a personagem feminina, está enterrada até o pescoço. Em determinada hora ele se arrasta em sua direção para pegar, junto a ela, talvez, o revólver. Numa daquelas situações definitivas do Beckett, Willie sempre escorrega. Torna a subir. Escorrega. Foi uma experiência dolorosa para Fernando, porque espelhava o que havia sido a sua vida naqueles últimos anos. Ele tinha horror do papel. Atuava mesmo assim. Como se negar ao seu ofício? Afirmo — sem generosidade — que, embora com a saúde em eterna atenção, ele participou sempre de todas as decisões profissionais e nunca deixou de estar presente às excursões, às estreias, aos ensaios.

A idade tem seu preço. Vieram outros problemas de saúde, Fernando os enfrentou aos cuidados de cinco luminares da medicina. Cada parte do corpo ficava aos cuidados de um especialista, e cada especialista limitava-se a exercer a dita especialidade. Com o tempo, começou a sofrer quedas. A Nanda, que estava em Brasília apresentando seu espetáculo, recebeu no camarim a visita da dra. Lúcia Braga, diretora do Hospital Sarah Kubitschek, um dos maiores centros neurológicos do mundo. Nanda solicitou uma consulta para o pai no Sarah. Fernando foi para Brasília, internou-se e se submeteu a uma batelada de exames. Verificaram que a interação de todos os medicamentos que ele tomava o estava envenenando. Passou por uma desintoxicação. Finalmente, voltou a se sentir inteiro.

Walter Salles, Vinícius de Oliveira e eu nas filmagens de *Central do Brasil*, em 1997, no sertão de Pernambuco.

Contracenando com Marília Pêra em *Central do Brasil* (1998). A grande atriz encarnou a prostituta Irene.

Em março de 1998, a prefeitura do Rio ofereceu um coquetel em homenagem à equipe de *Central do Brasil*, no Palácio da Cidade. Nesta foto, Millôr Fernandes aconselha Vinícius de Oliveira sob nossos olhares divertidos, meu e de Walter Salles.

ecebendo o Urso de Prata de melhor atriz no Festival de Berlim de 1998, por meu
apel em *Central do Brasil*. O filme mereceu o Urso de Ouro. À dir., o ator britânico
en Kingsley.

Com Fernanda nos Lençóis Maranhenses durante a filmagem de *Casa de areia* (2005), dirigido com grande sensibilidade por meu genro Andrucha Waddington.

Com Fernando em nosso sítio em Teresópolis (RJ).

6-07-83

Fernanda

De você só alegria!

Um beijo do

Fernando

16-10-97

Fernanda

Foram ótimos os anos até aqui.

Os que virão serão melhores!

Obrigado por tudo isto e pelos dois filhos lindos!

Um beijo.

Fernando

Diante de tantos cartões como estes, não há mais nada a dizer.

'ernando com Sérgio Brito, nosso grande amigo desde os anos 1950.

Nossa última foto de família com Fernando, no restaurante Fiorentina, no Rio.

Em 2009, encarnei Simone de Beauvoir no monólogo *Viver sem tempos mortos*, sob a direção de Felipe Hirsch. A peça estreou em São Gonçalo (RJ) e circulou com total aceitação pelas mais de trinta plateias das periferias do Rio e de São Paulo.

m 2013, recebi em Nova York o Emmy de melhor atriz pelo papel de Dona Picucha
m *Doce de mãe*, dirigido por Jorge Furtado e Ana Luiza Azevedo para a TV Globo.

Com Andrucha Waddington no set de *Rio, eu te amo* (2014), no qual atuei como Dona Fulana.

Em 2018, como entrevistada, falei sobre a peça *O beijo no asfalto*, de Nelson Rodrigues, no excelente filme de Murilo Benício.

Com meu amigo-irmão, o contestador-criador referencial do nosso teatro Antunes Filho, que faleceu enquanto eu escrevia este livro. Infelizmente, nunca atuei sob sua direção, embora tenhamos tentado. E muito.

A tradição artística da família continua. Contracenei com meu neto Joaquim em *O juízo* (2019), longa dirigido por seu pai, Andrucha.

Em junho de 2017, nos reunimos para prestigiar a homenagem da prefeitura do Rio a Fernando. O largo no cruzamento das ruas Almirante Saddock de Sá e Alberto de Campos, em Ipanema, foi batizado com seu nome. É lá que, todo ano, festejamos seu aniversário junto aos moradores.

Com Cláudio Assis no set de *Piedade*. Amo e respeito seu destempero criativo.

Como Dulce, na novela A *dona do pedaço*, de Walcyr Carrasco, em 2019.

'm encontro muito feliz com Karim Aïnouz, diretor de *A vida invisível*. O filme venceu mostra Un Certain Regard do Festival de Cannes em 2019.

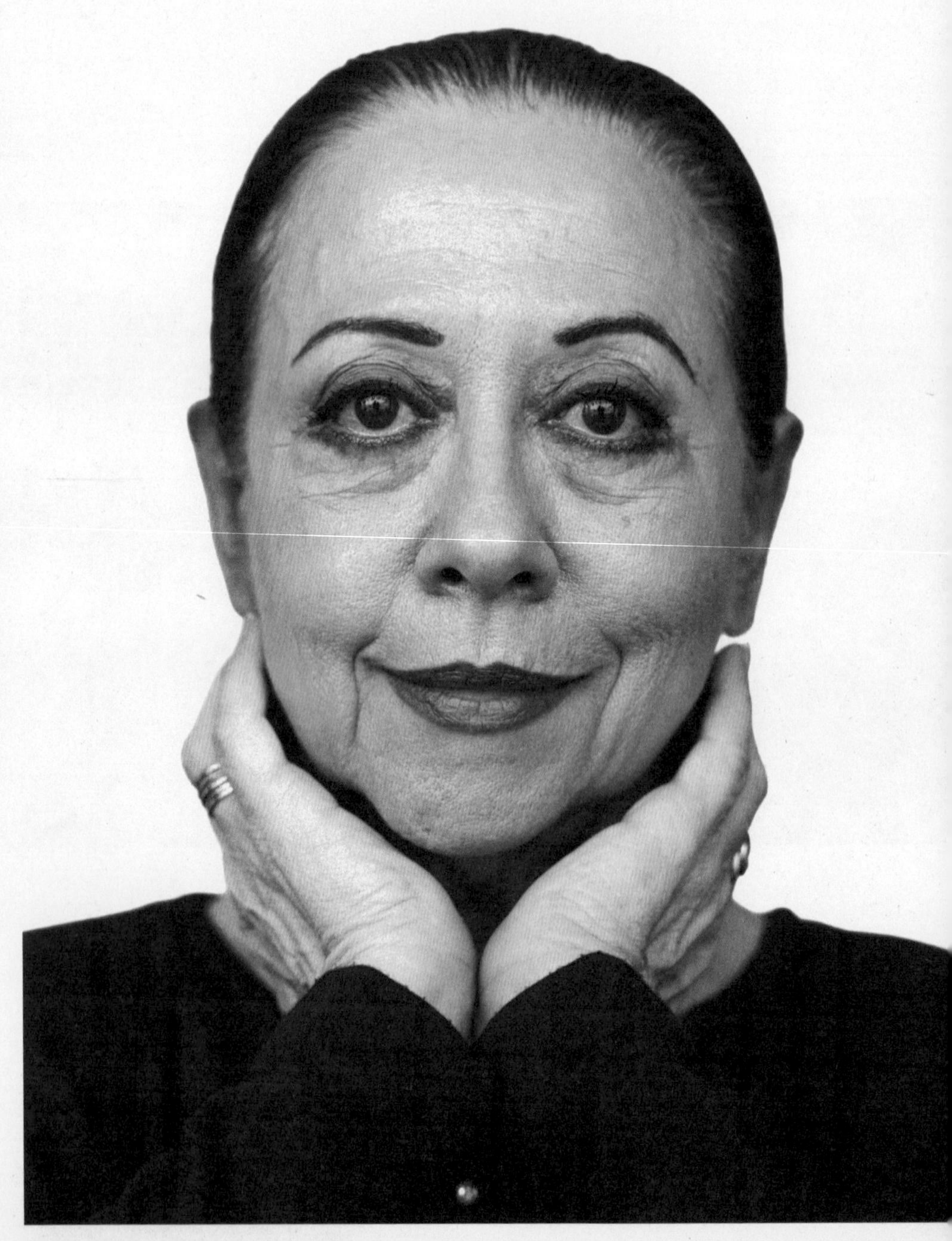

Retrato de Bob Wolfenson, 1995.

No Sarah, convivia com gente de todas as origens, de todos os estratos sociais. Um dos tantos métodos de recuperação daquele centro era o de reavivar atividades perdidas. Fernando confessou a falta do teatro e manifestou o desejo de ensaiar uma peça. Escolheu *É...*, que, na nossa montagem, permanecera quatro anos em cartaz. Ele como protagonista. Como não optar pelo texto do nosso amigo, referência absoluta de nossa cultura, Millôr Fernandes, naquele seu renascer? Além de amigo, Millôr foi sempre um colaborador permanente, como autor e tradutor. O espetáculo, para nós memorável, significava um parêntese de estabilidade nos sobressaltos da nossa sobrevivência teatral, financeira — e por que não também —, artística. No hospital, Fernando formou um elenco com dois médicos e três enfermeiras. Ensaiou durante semanas a leitura. De lá, ele me telefonava e dizia, desolado: "Eles não querem ensaiar no sábado". Eu argumentava: "Fernando, eles não podem! Eles são médicos, enfermeiras!". No dia da apresentação, fui para Brasília. Ele distribuiu os atores em torno de uma mesa retangular, todos vestindo uma roupa neutra. Providenciou uma ótima iluminação e um fundo musical inspirado. O grande auditório estava lotado de pacientes, muitos deles em cadeiras de rodas, de muletas, em macas. Presentes, também, os médicos, enfermeiros, funcionários. Eu tenho fotos desse evento. A leitura contou com total unidade e clima. Houve um domínio absoluto daqueles não atores sobre o texto. Foi um momento, para ele e para mim, comovente, inesquecível. Fernando, inteiro, senhor de si, junto com o elenco, sendo aplaudido por um bom tempo. Parecia cinquenta anos mais jovem.

Em janeiro de 2008, depois de Fernando passar por um

exame geral, me informaram, em particular, que havia um tumor num de seus pulmões. Guardei comigo a triste notícia. Nenhuma palavra, nem a ele nem aos filhos. O médico achou que, no seu caso, a doença já bastante avançada, a quimioterapia seria um sofrimento inútil diante da nicotina armazenada em seus pulmões. Fazia já muitos anos que tinha parado de fumar. Resolução que não fora nada fácil. Mas houve um dia em que, indignada diante de mais um maço de cigarros, comecei a gritar, em protesto, como nunca havia gritado — e como jamais voltaria a fazer. Fui uma valquíria wagneriana por cima de uma orquestra de 120 músicos. Morávamos num apartamento. Ele me olhou com muita calma e, com mais calma ainda, pegou o maço e o jogou pela janela. E nunca mais fumou. Foi um desses gestos que pacificam ou até anulam, entre dois seres humanos, todos os impasses, todas as crises. — Presentes, passadas e futuras.

Ao longo de todos esses anos de doença, Fernando foi imensamente respeitoso com os que cuidavam dele. Nunca nos sobrecarregou com suas angústias, embora elas existissem, e como! A nossa casa jamais pesou com queixas ou imprecações contra o mundo, contra o demônio, contra Deus. E nunca estivemos tão casados, tão irmanados, tão interligados.

Houve o momento duro, triste, da necessidade de uma cadeira de rodas. Não teve drama. Não teve demagogia. O motorista, o porteiro, quem fosse, pegava a tal cadeira e o conduzia à porta do carro, ao assento no cinema, ao lugar no restaurante. Aceitava o tratamento que fosse necessário, sem lamúria. Sem barganhas.

Quando desembarquei no Galeão às duas horas da manhã, ao voltar com Aída da viagem já mencionada à Sardenha e a Milão em que essa minha irmã me acompanhou, Fernando estava lá. À minha espera, na cadeira de rodas, com um buquê de flores, ao lado do enfermeiro. Nos abraçamos e ele, sorrindo, me disse: "Tenho uma notícia muito bonita para você: nasceu o nosso neto". Era o Antônio, caçula da Nanda. Ele ainda chegou a tirar fotos com o neto no colo.

Aos 81 anos, já extremamente debilitado, Fernando às vezes perguntava: "Nós não vamos para o teatro?". Eu explicava: "Não, Fernando, hoje não temos teatro". Ele estranhava. Outra pergunta: "Não vamos ensaiar?". Diante da resposta, ele se calava. Fora esses momentos de "viagem", seu raciocínio seguia orgânico. Coeso.

No sábado que precedeu sua morte, ele pegou o texto de *É...* — sempre esse texto do nosso amigo, o grande e eterno Millôr Fernandes — e me chamou: "Vamos ensaiar?". Nós nos sentamos à mesa e ele leu o título, o nome do autor. Leu a descrição do cenário. Percebeu que aí começava o diálogo. Olhou para os lados — não havia elenco em torno daquela mesa. Estávamos só eu e ele. Voltou a si.

Em 2006, Sérgio Brito tinha me proposto um projeto sobre Simone de Beauvoir e Jean-Paul Sartre. Seria uma produção pequena. Eu me responsabilizaria pela compilação dos textos que teríamos como matéria de trabalho, e nós nos autodirigiríamos. Recorri, como base, entre outros tópicos da obra da escritora, ao corajoso e apaixonante livro *A cerimônia do adeus*.

Sérgio, na casa dos oitenta, vinha enfrentando uma séria crise de saúde fazia alguns anos. No início da nossa tarefa, houve a falência de sua resistência. A conselho médico, encerramos o projeto. Mas Sérgio, como amigo-irmão-cúmplice, me deixou seguir sozinha — ou melhor, com Simone de Beauvoir. Era a segunda vez que eu encararia um monólogo, o silêncio dos bastidores, a solidão cênica, o abismo diante do vozerio da plateia que nos espera. E há também, em contrapartida, a ambição de ganhar a batalha. Você está ali com tudo que é — e apesar do que é. Caso corresponda ao que a plateia deseja, vem o "de acordo", identificação que traz, a você, alívio. Por instantes. Ao chegar ao camarim, já pressente a agonia desse ritual que deverá se repetir obrigatoriamente a cada noite.

Convidei Felipe Hirsch, um dos diretores referenciais com quem, fazia tempo, eu esperava um dia trabalhar. O cenário de Daniela Thomas nos deu, com criatividade, um espaço enxuto e imantado. Nossa finalidade era levar a montagem às plateias das periferias, por considerar o texto pleno de emoção, inteligência e contestação. Completaríamos as apresentações com debates e conversas diretas com a plateia. Contaríamos, em toda a periferia do Rio, com a supervisão e presença de Rosiska Darcy de Oliveira, escritora, jornalista e hoje acadêmica. Em São Paulo, no Sesc Anchieta, contaríamos com o professor Jorge Coli. Sempre fez parte da nossa atividade teatral levar nossos espetáculos em temporadas populares, assim como chegar às periferias, mesmo quando os autores ou encenações eram tidos como "difíceis".

Fernando nunca se ausentou da organização desse nosso novo trabalho, ainda produção dele. Embora sua presença dependesse da agonia de cada dia.

E chegamos em 2008. O projeto *Viver sem tempos mortos*, baseado nos textos de Beauvoir, foi recusado pela Comissão Nacional de Incentivo à Cultura. Essa produção foi a minha última atividade teatral a recorrer a tal comissão a fim de ter acesso aos incentivos fiscais previstos pela Lei Rouanet. Na época, julgaram o projeto complexo demais para temporadas populares em periferias. Penso que entenderam a proposta como um capricho histriônico. Exibicionismo de uma atriz. Uma temática improdutiva, inútil, sofisticada demais para plateias ditas do "povão". Diante da negativa, Carmen Mello — coprodutora — foi a Brasília e solicitou um encontro com o então ministro da Cultura, Juca Ferreira, que como sociólogo, acho, reconheceu a posição social, política, existencial do nosso projeto. Liberou a bendita verba — orçamento mais que honesto, justo. No final da longa temporada, obviamente comprovamos todas as despesas da dotação, o que é obrigatório em se tratando de dinheiro público. *Viver sem tempos mortos* resultou numa comunhão absoluta entre palco e plateia. Visitamos perto de trinta comunidades entre Rio de Janeiro e São Paulo. Esse projeto está entre os mais comoventes momentos dos meus 75 anos de ofício. Pergunto: por que, no campo da cultura, comissões prejulgam a sensibilidade do dito "povão"? Também pergunto se é necessária uma extremada e exibida adesão política, verdadeira ou não, para receber algum socorro cultural de uma administração pública.

Diante da assinatura do ministro Juca Ferreira, Carmen me ligou feliz — para a alegria de todos nós —, dando ciência de que finalmente o nosso espetáculo existiria. Como resposta, minha e de meus filhos, o que nos coube foi lhe comunicar a nossa dor, a nossa dolorosa solidão, diante da morte de Fernando na madrugada daquele mesmo dia, 5 de setembro de 2008.

Vivemos juntos sessenta anos, nos buscando, nos sublimando, nos conciliando, nos amando. Compartilhamos as lutas, as alegrias, as realizações e as superações de uma vocação. Jamais na vida pensei viver com um companheiro disposto a tamanha luta por uma integração. Que outro homem, mesmo me amando, teria me alicerçado e me projetado tão sadiamente, longe de machismos, de disputas de poder? Fernando o fez com sensibilidade e inteligência e, o mais importante, com comunhão. Ele está na base do possível prestígio que eu possa ter na vida profissional. E essa postura nunca o impediu de ser o que quis ser e realizar o que buscava. Amava o comando. E com ardor. Tinha ambição. Sobreviver às contradições é fundamental — se quisermos a coexistência. Nos bastidores, fizemos juntos a nossa família. Não de cima para baixo, mas ombro a ombro. A gratidão que sinto pela nossa vida é infinitamente maior do que qualquer grave crise que possamos ter experimentado juntos. E pude dizer-lhe dessa gratidão e do meu amor antes que ele perdesse a consciência e partisse.

Um mês após a morte de Fernando, eu completava 79 anos.

Em sua memória, seis meses depois retomei a minha vida profissional. Estreamos *Viver sem tempos mortos* em São Gonçalo—Niterói—, dando início à excursão pelas periferias programadas: Nova Iguaçu, Nova Friburgo, São João de Meriti, Teresópolis. No Rio, capital, ocupamos o Oi Futuro e o Fashion Mall, em São Conrado. Seguimos para Curitiba e Porto Alegre. Em São Paulo, apresentamos temporadas no Sesc Anchieta e no Teatro Raul Cortez. Do centro partimos para os 21 CEUs—Centros Educacionais Unificados—existentes nas comunidades da Pauliceia. Presença absoluta de público. Nenhuma rejeição ao texto da pensadora e grande ativista Simone de Beauvoir. Foi aceito, aplaudido e—maior conquista—entendido, discutido. Nunca espectador nenhum dessas periferias abandonou o espetáculo. Desde as primeiras horas da manhã, havia fila para retirar ingressos. A troca de opiniões se dava também entre os ocupantes da plateia ao fim de cada apresentação. Eram comoventes de tão participantes. Entre tantos pontos de vista, escolhi dois exemplos. Uma mulher de São João de Meriti argumentou que aquela Simone não era de nada. Vivia para aquele homem que nem lhe dava a atenção que ela merecia. Corajosa era ela, que nunca aguentou homem desse tipo. Era mãe de duas crianças, dona de si mesma, e ganhava seu dinheiro honestamente para se manter e a seus filhos. Uma outra espectadora, na comunidade de Brasilândia, em São Paulo, já lá pelos seus sessenta anos, num sorriso afirmativo e cúmplice, me confidenciou: "Sou igualzinha a ela".

A temporada no complexo dos CEUs, com muita surpresa, me mostrou um sólido e consequente organismo de atendimento educacional, social, cultural, inclusive com teatros padronizados, bem cuidados. Já faz anos que por ali passei.

Aliás, por que não seguir com projetos semelhantes em todo o país? Por que nenhum governo cumpre sequer um décimo do que promete, como no caso da cultura, sempre tida, estupidamente, como uma inutilidade, uma frescura? Refiro-me à Cultura das Artes. É a Cultura das Artes que faz uma nação. Sem ela, é apenas uma fronteira. São perguntas eternas, eu sei. E, com meus tantos anos de vida, continuo a fazê-las.

Sobrevivemos pela força da vida mesma. A esperança precisa deixar de ser só votiva. A esperança tem que ser uma ação viva. Foi isso que os meus imigrantes me ensinaram. Fé numa nova terra.

Epílogo

Por mais longa que seja a vida de um ator, ele não tem como declarar: "Estou pronto". E se o fizer, não é do ramo. Embora no teatro se repita, dia após dia, o mesmo gesto, a mesma intenção, o mesmo texto, dentro da mesma encenação, repentinamente uma "faísca inesperada de percepção" revela outra zona a seguir — que depende da sua inquietação. Em *Reflexões de um comediante*, de Jacques Copeau, lê-se sobre essa "anomalia": "Nisto consiste o mistério — *que um ser humano possa pensar e tratar a si próprio como matéria de sua arte*. Ao mesmo tempo agir e ser o que é manobrado. Homem natural e marionete".

Pela vida afora, acumulei algumas observações. São intuições. Quando temos muitas certezas sobre o nosso modo de agir, em cena ou na vida, corremos o risco de ficarmos circunscritos a uma técnica que nos imobiliza naquele processo domado, dominado, que nos congela. É a ponte com o imprevisto, o improvável, o absurdo que, muitas vezes, nos leva a renascer. No palco, atingir o impensável é fundamental. Essa é a batalha.

Os atores têm uma herança oficiosa, subliminar, de transferência na aprendizagem que nos liga através dos tempos — um ator que viu outro ator, que trabalhou com outro ator, que antecedeu a outro ator, que foi discípulo de mais outro e, antes, de muitos outros e outros. Trago em mim e conservo gestos, entonações, sentimentos de atores que vi pela vida. Daqui a cinquenta, cem anos, alguém estará em cena de posse de um gene no DNA de um ator contemporâneo. E essa herança sempre está ligada ao experimento. E ao que fala ao seu instinto.

Respeito todo tipo de encenação, da mais acadêmica à mais contestadora, mas, sentada na plateia, o que me envolve sempre, em primeiro lugar, são os atores. É neles, em nós, que está o teatro.

Meu último trabalho sobre um palco é a leitura de crônicas que organizei com base no livro *Nelson Rodrigues por ele mesmo*, de Sônia Rodrigues. Fecho a leitura com a frase: "Aprendi a ser o máximo possível de mim mesmo". Não é um pensamento ególatra, é uma frase de quem fez da própria vida uma fonte de resistência, é uma frase de autoentendimento.

Aos meus noventa anos, ainda dou conta do meu ofício. Fora do ofício, já passei o "cetro materno" para a Nanda. E a "consultoria geral e executiva" da família para Claudio e para ela — com todo meu amor. Quanto a meus netos — Joaquim, Davi e Antônio —, eu, feliz, sei que são um pouco de mim, lá adiante. Da minha origem, minha irmã Aída e eu ainda garantimos a memória arcaica da nossa infância e mocidade. Há os meus poucos sobrinhos. E pouquíssimos amigos.

O passado vem inteiro no poema de Álvaro de Campos: "No tempo em que festejavam o dia dos meus anos,/ Eu era feliz e ninguém estava morto". E mais adiante: "Sim, o que fui de suposto a mim mesmo,/ O que fui de coração e parentesco,/ O que fui de serões de meia-província,/ O que fui de amarem-me e eu ser menino./ O que fui — ai, meu Deus!, o que só hoje sei que fui.../ A que distância!.../ (Nem o acho...)/ O tempo em que festejavam o dia dos meus anos!".

Tudo vai se harmonizando para a despedida inevitável. Inarredável. O que lamento é a vida durar apenas o tempo de um suspiro. Mas, acordo e canto.

Trabalhos e prêmios

Teatro

Alegres canções na montanha
(Zizi)
Texto: Julien Luchaire
Direção: Esther Leão
Estreia: Teatro Copacabana, Rio de Janeiro, 1950

Loucuras do imperador
(Rosinha)
Texto e direção: Paulo Magalhães
Estreia: Teatro Serrador, Rio de Janeiro, 1952

Está lá fora um inspetor
(Sheila Birling)
Texto: J. B. Priestley
Direção: João Villaret
Estreia: Teatro Serrador, Rio de Janeiro, 1952

Mulheres feias
(Jolly)
Texto: Achille Saitta
Direção: Henriette Morineau
Estreia: Teatro Copacabana, Rio de Janeiro, 1953

A *cegonha se diverte*
(Annie Jacquet)
Texto: André Roussin

Direção: Henriette Morineau
Estreia: Teatro República, Rio de Janeiro, 1953

Jézabel
Texto: Jean Anouilh
Direção: Henriette Morineau
Estreia: Teatro República, Rio de Janeiro, 1953

Daqui não saio
(Lúcia)
Texto: Raymond Vincy e Jean Valmy
Direção: Henriette Morineau
Estreia: Teatro República, Rio de Janeiro, 1953

O canto da cotovia
(Agnes/Pequena Rainha)
Texto: Jean Anouilh
Direção: Gianni Ratto
Estreia: Teatro Maria Della Costa, São Paulo, 1954

Com a pulga atrás da orelha
(Luciana)
Texto: Georges Feydeau
Direção: Gianni Ratto
Estreia: Teatro Maria Della Costa, São Paulo, 1955

A moratória
(Lucília)
Texto: Jorge Andrade

Direção: Gianni Ratto
Estreia: Teatro Maria Della Costa, São Paulo, 1955

Mirandolina
(Dejanira)
Texto: Carlo Goldoni
Direção: Ruggero Jacobbi
Estreia: Teatro Maria Della Costa, São Paulo, 1955

A *Ilha dos Papagaios*
(Juiuk)
Texto: Sergio Tofano
Direção: Gianni Ratto
Estreia: Teatro Maria Della Costa, São Paulo, 1955

Manequim
(Madame Caldeira)
Texto: Henrique Pongetti
Direção: Eugênio Kusnet
Estreia: Teatro Maria Della Costa, São Paulo, 1956

Divórcio para três
Texto: Victorien Sardou e Émile de Narjac
Direção: Zbigniew Ziembinski
Estreia: Teatro Brasileiro de Comédia, São Paulo, 1956

Eurídice
(Moça da companhia teatral)
Texto: Jean Anouilh

Direção: Gianni Ratto
Estreia: Teatro Brasileiro de Comédia, São Paulo, 1956

Nossa vida com papai
(Vinnie Day)
Texto: Howard Lindsay e Russel Crouse
Direção: Gianni Ratto
Estreia: Teatro Ginástico, Rio de Janeiro, 1956

Rua São Luís, 27, 8º andar
(Renata)
Texto: Abílio Pereira de Almeida
Direção: Alberto D'Aversa
Estreia: Teatro Brasileiro de Comédia, São Paulo, 1957

Os interesses criados
(Sereia)
Texto: Jacinto Benavente
Direção: Alberto D'Aversa
Estreia: Teatro Brasileiro de Comédia, São Paulo, 1957

A muito curiosa história da virtuosa matrona de Éfeso
(Diana/Sofia)
Texto: Guilherme Figueiredo
Direção: Alberto D'Aversa
Estreia: Teatro Brasileiro de Comédia, São Paulo, 1958

Vestir os nus
(Ersilia Drei)
Texto: Luigi Pirandello

Direção: Alberto D'Aversa
Estreia: Teatro Brasileiro de Comédia, São Paulo, 1958

Um panorama visto da ponte
(Senhora Lipari)
Texto: Arthur Miller
Direção: Alberto D'Aversa
Estreia: Teatro Brasileiro de Comédia, São Paulo, 1958

Pedreira das almas
(Mariana)
Texto: Jorge Andrade
Direção: Alberto D'Aversa
Estreia: Teatro Brasileiro de Comédia, São Paulo, 1958

O *mambembe*
(Laudelina Gaioso)
Texto: Artur Azevedo e José Piza
Direção: Gianni Ratto
Estreia: Theatro Municipal, Rio de Janeiro, 1959

A *profissão da senhora Warren*
(Vivie Warren)
Texto: George Bernard Shaw
Direção: Gianni Ratto
Estreia: Teatro Copacabana, Rio de Janeiro, 1960

Cristo proclamado
(Cremilda)
Texto: Francisco Pereira da Silva
Direção: Gianni Ratto
Estreia: Teatro Copacabana, Rio de Janeiro, 1960

Com a pulga atrás da orelha
(Raimunda)
Texto: Georges Feydeau
Direção: Gianni Ratto
Estreia: Teatro Ginástico, Rio de Janeiro, 1960

O beijo no asfalto
(Selminha)
Texto: Nelson Rodrigues
Direção: Fernando Torres
Estreia: Teatro Ginástico, Rio de Janeiro, 1961

Apague meu spotlight
(Voz)
Texto: Jocy de Oliveira sobre música de Luciano Berio
Direção: Gianni Ratto
Estreia: Theatro Municipal, São Paulo, 1961

Festival de comédia
(D. Lourença, Sabina e Anacleta)
Texto: Miguel de Cervantes ("O velho ciumento"), Molière ("O médico volante") e Martins Pena ("Os ciúmes de um pedestre ou O terrível capitão do mato")

Direção: Gianni Ratto
Estreia: Teatro Maison de France, Rio de Janeiro, 1961

O homem, a besta e a virtude
(A virtuosa senhora Perella)
Texto: Luigi Pirandello
Direção: Gianni Ratto
Estreia: Teatro Maison de France, Rio de Janeiro, 1962

Mary, Mary
(Mary McKellaway)
Texto: Jean Kerr
Direção: Adolfo Celi
Estreia: Teatro Copacabana, Rio de Janeiro, 1963

Mirandolina
(Mirandolina)
Texto: Carlo Goldoni
Direção: Gianni Ratto
Estreia: Teatro Ginástico, Rio de Janeiro, 1964

A mulher de todos nós
(Clotilde du Mesnil)
Texto: Henry Becque
Direção: Fernando Torres
Estreia: Teatro Santa Rosa, Rio de Janeiro, 1966

O homem do princípio ao fim
(Fernanda)
Texto: Millôr Fernandes

Direção: Fernando Torres
Estreia: Teatro Santa Rosa, Rio de Janeiro, 1966

A volta ao lar
(Ruth)
Texto: Harold Pinter
Direção: Fernando Torres
Estreia: Teatro Gláucio Gil, Rio de Janeiro, 1967

A mulher de todos nós
(Clotilde du Mesnil)
Texto: Henry Becque
Direção: Fernando Torres
Estreia: Teatro Anchieta, São Paulo, 1968

Marta Saré
(Marta Saré)
Texto: Gianfrancesco Guarnieri
Direção: Fernando Torres
Estreia: Teatro João Caetano, 1969

Plaza Suíte
(Karen Nash)
Texto: Neil Simon
Direção: João Bethencourt
Estreia: Teatro Copacabana, Rio de Janeiro, 1970

Oh que belos dias!
(Winnie)
Texto: Samuel Beckett

Direção: Ivan de Albuquerque
Estreia: Teatro Maison de France, Rio de Janeiro, 1970

O marido vai à caça
(Leontina)
Texto: Georges Feydeau
Direção: Amir Haddad
Estreia: Teatro Senac, Rio de Janeiro, 1971

Computa, computador, computa
(Atriz)
Texto: Millôr Fernandes
Direção: Carlos Kroeber
Estreia: Teatro Santa Rosa, Rio de Janeiro, 1972

O interrogatório
(Testemunhas e acusadas)
Texto: Peter Weiss
Direção: Celso Nunes
Estreia: Teatro Gláucio Gil, Rio de Janeiro, 1972

Seria cômico... se não fosse sério
(Alice)
Texto: Friedrich Dürrenmatt
Direção: Celso Nunes
Estreia: Teatro Maison de France, Rio de Janeiro, 1973

O amante de madame Vidal
(Catarina Vidal)
Texto: Louis Verneuil

Direção: Fernando Torres
Estreia: Teatro Maison de France, Rio de Janeiro, 1973

A mais sólida mansão
(Deborah Harford)
Texto: Eugene O'Neill
Direção: Fernando Torres
Estreia: Teatro Glória, Rio de Janeiro, 1976

É...
(Vera Toledo)
Texto: Millôr Fernandes
Direção: Paulo José
Estreia: Teatro Maison de France, Rio de Janeiro, 1977

Assunto de família
(Conceição)
Texto: Domingos de Oliveira
Direção: Paulo José
Estreia: Teatro Ginástico, Rio de Janeiro, 1980

As lágrimas amargas de Petra von Kant
(Petra von Kant)
Texto: Rainer Werner Fassbinder
Direção: Celso Nunes
Estreia: Teatro dos Quatro, Rio de Janeiro, 1982

Fedra
(Fedra)
Texto: Racine

Direção: Augusto Boal
Estreia: Teatro de Arena, Rio de Janeiro, 1986

Dona Doida, um interlúdio
(Dona Doida)
Texto: Adélia Prado
Direção: Naum Alves de Souza
Estreia: Teatro Delfin, Rio de Janeiro, 1987

Suburbano coração
(Lovemar)
Texto e direção: Naum Alves de Souza
Estreia: Teatro Clara Nunes, Rio de Janeiro, 1989

Dona Doida, um interlúdio
(Dona Doida)
Texto: Adélia Prado
Direção: Naum Alves de Souza
Estreia: Teatro Ruth Escobar, São Paulo, 1990

The Flash and Crash Days: Tempestade e fúria
(Mãe)
Texto e direção: Gerald Thomas
Estreia: Teatro CCBB, Rio de Janeiro, 1991

Gilda
(Gilda)
Texto: Noël Coward
Direção: José Possi Neto
Estreia: Teatro Sérgio Cardoso, São Paulo, 1993

Dias felizes
(Winnie)
Texto: Samuel Beckett
Direção: Jacqueline Laurence
Estreia: Teatro Villa-Lobos, Rio de Janeiro, 1995

Da gaivota
(Irina Arkádina)
Texto: Anton Tchékhov
Direção: Daniela Thomas
Estreia: Teatro Guaíra, Curitiba, 1998

Alta sociedade
(Sylvia)
Texto e direção: Mauro Rasi
Estreia: Teatro Scala, Rio de Janeiro, 2001

Viver sem tempos mortos
(Simone de Beauvoir)
Texto: Simone de Beauvoir
Direção: Felipe Hirsch
Estreia: Sesc São Gonçalo, São Gonçalo (RJ), 2009

Cinema

A *falecida*, 1965
(Zulmira)
Direção: Leon Hirszman

Roteiro: Eduardo Coutinho e Leon Hirszman sobre peça de Nelson Rodrigues

Pecado mortal, 1970
(Fernanda)
Direção e roteiro: Miguel Faria Jr.

Em família, 1971
(Anita)
Direção: Paulo Porto
Roteiro: Ferreira Gullar, Paulo Porto e Oduvaldo Viana Filho sobre peça de Helen e Noah Leary

Minha namorada, 1971
(Carminha)
Direção e roteiro: Zelito Viana e Armando Costa

A vida de Jesus Cristo, 1971
(Samaritana)
Direção e roteiro: José Regattieri

Joanna Francesa, 1973
(Voz de Joanna)
Direção e roteiro: Cacá Diegues

Missa do Galo (curta), 1973
(Dona Conceição)
Direção: Roman Stulbach
Roteiro: Roman Stulbach sobre conto de Machado de Assis

Marília e Marina, 1976
(D. Glória)
Direção: Luiz Fernando Goulart
Roteiro: Luiz Fernando Goulart e Leopoldo Serran sobre poema de Vinicius de Moraes

Tudo bem, 1978
(Elvira Barata)
Direção: Arnaldo Jabor
Roteiro: Arnaldo Jabor e Leopoldo Serran

Eles não usam black-tie, 1981
(Romana)
Direção: Leon Hirszman
Roteiro: Leon Hirszman e Gianfrancesco Guarnieri sobre peça de Guarnieri

A hora da estrela, 1985
(Madame Carlota)
Direção: Suzana Amaral
Roteiro: Suzana Amaral e Alfredo Oroz sobre novela de Clarice Lispector

Fogo e paixão, 1988
(Rainha)
Direção e roteiro: Isay Weinfeld e Márcio Kogan

Trancado por dentro (curta), 1989
(Ivette)
Direção: Arthur Fontes

Roteiro: Arthur Fontes e Maurício Zacharias sobre HQ de Bruce Jones e Tanino Liberatore

Veja esta canção, "Samba do grande amor", 1994
(Mulher da voz)
Direção: Cacá Diegues
Roteiro: Betse de Paula, Isabel Diegues e Nelson Nadotti sobre canção de Chico Buarque

O que é isso, companheiro?, 1997
(D. Margarida)
Direção: Bruno Barreto
Roteiro: Leopoldo Serran sobre livro de Fernando Gabeira

Traição, 1997
(Caixa do bar em "O primeiro pecado", mãe de Dagmar em "Diabólica" e mulher no hotel em "Cachorro!")
Direção: Arthur Fontes, Claudio Torres e José Henrique Fonseca
Roteiro: Maurício Zacharias, Fernanda Torres, Claudio Torres e Patrícia Melo sobre contos de Nelson Rodrigues

Central do Brasil, 1998
(Isadora)
Direção: Walter Salles
Roteiro: Marcos Bernstein e João Emanuel Carneiro sobre ideia original de Walter Salles

O auto da Compadecida, 1999
(A Compadecida)
Direção: Guel Arraes
Roteiro: Guel Arraes, Adriana Falcão e João Falcão sobre peça de Ariano Suassuna

Gêmeas, 1999
(Mãe)
Direção: Andrucha Waddington
Roteiro: Elena Soárez sobre conto de Nelson Rodrigues

O outro lado da rua, 2004
(Regina)
Direção: Marcos Bernstein
Roteiro: Marcos Bernstein e Melanie Dimantas

Olga, 2004
(Leocádia Prestes)
Direção: Jayme Monjardim
Roteiro: Rita Buzzar sobre livro de Fernando Morais

Redentor, 2004
(Dona Isaura)
Direção: Claudio Torres
Roteiro: Claudio Torres, Fernanda Torres e Elena Soárez

Casa de areia, 2005
(Áurea e Maria)
Direção: Andrucha Waddington
Roteiro: Elena Soárez

O amor nos tempos do cólera, 2007
(Tránsito Ariza)
Direção: Mike Newell
Roteiro: Ronald Harwood sobre romance de Gabriel García Márquez

A *dama do Estácio*, 2012 (curta)
(Zulmira)
Direção: Eduardo Ades
Roteiro: Eduardo Ades e Matheus Ramalho

Doce de mãe, 2012
(Dona Picucha)
Direção: Jorge Furtado e Ana Luiza Azevedo
Roteiro: Jorge Furtado, Ana Luiza Azevedo e Miguel da Costa Franco

A *primeira missa*, 2013
(Ente da floresta)
Direção e roteiro: Ana Carolina

Boa sorte, 2013
(Célia)
Direção: Carolina Jabor
Roteiro: Jorge Furtado e Pedro Furtado

O *tempo e o vento*, 2013
(Bibiana Terra Cambará)
Direção: Jayme Monjardim

Roteiro: Tabajara Ruas e Letícia Wierzchowski sobre romance de Erico Verissimo

Rio, eu te amo, "D. Fulana", 2014
(D. Fulana)
Direção: Andrucha Waddington
Roteiro: Andrucha Waddington e Mauricio Zacharias

Infância, 2014
(D. Mocinha)
Direção e roteiro: Domingos de Oliveira

O beijo no asfalto, 2018
(D. Matilde)
Direção: Murilo Benício
Roteiro: Murilo Benício sobre peça de Nelson Rodrigues

Piedade, 2019
(Carminha)
Direção: Cláudio Assis
Roteiro: Anna Francisco, Dillner Gomes e Hilton Lacerda

A vida invisível, 2019
(Eurídice Gusmão)
Direção: Karim Aïnouz
Roteiro: Karim Aïnouz, Murilo Hauser e Inés Bortagaray sobre romance de Martha Batalha

O juízo, 2019
(Marta Amarantes)
Direção: Andrucha Waddington
Roteiro: Fernanda Torres

Telenovelas, minisséries e especiais de TV

A morta sem espelho, TV Rio, 1963
(Vera)
Direção: Fernando Torres e Sérgio Brito
Texto: Nelson Rodrigues

Pouco amor não é amor, TV Rio, 1963-4
(Marília)
Direção: Fernando Torres
Roteiro: Nelson Rodrigues sobre romance de José de Alencar

Sonho de amor, TV Rio, 1964
(Camila)
Direção: Sérgio Brito
Roteiro: Nelson Rodrigues sobre romance de José de Alencar

Vitória, TV Rio, 1964
(Vitória)
Direção: Sérgio Brito
Roteiro: Aldo de Maio sobre romance de Emi Bulhões Carvalho

Calúnia, TV Tupi/SP, 1966
(Amália Linares-Castellanos)
Direção: Wanda Kosmo
Roteiro: Thalma de Oliveira sobre telenovela de Caridad Bravo Adams

Redenção, TV Excelsior/SP, 1968
(Lisa)
Direção: Waldemar de Moraes e Reynaldo Boury
Roteiro: Raimundo Lopes

A *muralha*, TV Excelsior/SP, 1968
(Mãe Cândida Olinto)
Direção: Sérgio Brito
Roteiro: Dinah Silveira de Queirós

Sangue do meu sangue, TV Excelsior/SP, 1969
(Júlia Camargo)
Direção: Sérgio Brito
Roteiro: Vicente Sesso

Medeia (especial), 1973
(Medeia)
Direção: Fábio Sabag
Roteiro: Oduvaldo Viana Filho sobre peça de Eurípides

Cara a cara, TV Bandeirantes, 1979
(Ingrid von Herbert)
Direção: Jardel Mello e Arlindo Pereira
Roteiro: Vicente Sesso

Baila comigo, TV Globo, 1981
(Sílvia Toledo)
Direção: Roberto Talma e Paulo Ubiratan
Roteiro: Manoel Carlos

Brilhante, TV Globo, 1981-2
(Chica Newman)
Direção: Daniel Filho
Roteiro: Gilberto Braga, Euclydes Marinho e Leonor Bassères

Guerra dos sexos, TV Globo, 1983-4
(Charlô/Altamiranda)
Direção: Jorge Fernando e Guel Arraes
Roteiro: Silvio de Abreu e Carlos Lombardi

Cambalacho, TV Globo, 1986
(Naná)
Direção: Jorge Fernando
Roteiro: Silvio de Abreu

Rainha da sucata, TV Globo, 1990
(Salomé)
Direção: Jorge Fernando
Roteiro: Silvio de Abreu, Alcides Nogueira e José Antonio de Souza

Riacho Doce (minissérie), TV Globo, 1990
(Vó Manuela)
Direção: Paulo Ubiratan
Roteiro: Aguinaldo Silva, Ana Maria Moretzsohn e Márcia Prates sobre romance de José Lins do Rego

Todas as mulheres do mundo (especial), TV Globo, 1990
Direção: Domingos de Oliveira
Roteiro: Domingos de Oliveira e Pedro Cardoso

O dono do mundo, TV Globo, 1991-2
(Olga Portela)
Direção: Dennis Carvalho
Roteiro: Gilberto Braga, Leonor Bassères, Ângela Carneiro, Sérgio Marques e Ricardo Linhares

O mapa da mina, TV Globo, 1993
(Madalena Moraes)
Direção: Gonzaga Blota
Roteiro: Cassiano Gabus Mendes, Maria Adelaide Amaral, Gugu Keller, Walkíria Portero e Djair Cardoso

Renascer, TV Globo, 1993
(Jacutinga)
Direção: Luiz Fernando Carvalho
Roteiro: Benedito Ruy Barbosa, Edmara Barbosa e Edilene Barbosa

Incidente em Antares (minissérie), TV Globo, 1994
(Quitéria Campolargo)
Direção: Paulo José
Roteiro: Nelson Nadotti e Charles Peixoto sobre romance de Erico Verissimo

A *comédia da vida privada* (série), "A casa dos quarenta" e "As idades do amor", TV Globo, 1995-6
(Tia Otávia e Dora)
Direção: Guel Arraes
Roteiro: Jorge Furtado, Guel Arraes, Pedro Cardoso, Carlos Gerbase e Luis Fernando Verissimo sobre contos de Verissimo

Zazá, TV Globo, 1997-8
(Zazá Dumont)
Direção: Jorge Fernando, Marcelo Travesso e Alexandre Boury
Roteiro: Lauro César Muniz, Aimar Labaki, Rosane Lima e Jacqueline Velego

O *auto da Compadecida* (minissérie), TV Globo, 1999
(A Compadecida)
Direção: Guel Arraes

Roteiro: Guel Arraes, Adriana Falcão e João Falcão sobre peça de Ariano Suassuna

As filhas da mãe, TV Globo, 2001-2
(Lulu de Luxemburgo)
Direção: Jorge Fernando
Roteiro: Silvio de Abreu, Alcides Nogueira, Bosco Brasil e Sandra Louzada

Pastores da noite (minissérie), TV Globo, 2002
(Tibéria)
Direção: Maurício Farias e Sérgio Machado
Roteiro: Sérgio Machado, Guel Arraes e Cláudio Paiva sobre romance de Jorge Amado

Belíssima, TV Globo, 2005-6
(Bia Falcão)
Direção: Denise Saraceni, Carlos Araújo e Luiz Henrique Rios
Roteiro: Silvio de Abreu, Sérgio Marques e Vinícius Vianna

Hoje é dia de Maria I e II (minissérie), TV Globo, 2005
(Madrasta e Dona Cabeça)
Direção: Luiz Fernando Carvalho
Roteiro: Luiz Fernando Carvalho, Luís Alberto de Abreu e Carlos Alberto Soffredini

Queridos amigos (minissérie), TV Globo, 2008
(Iraci)
Direção: Denise Saraceni e Carlos Araújo
Roteiro: Maria Adelaide Amaral e Letícia Mey

O Natal do menino imperador (especial), TV Globo, 2008
(Narradora)
Direção: Luiz Henrique Rios
Roteiro: Péricles Barros

Passione, TV Globo, 2010-1
(Bete Gouveia)
Direção: Carlos Araújo e Luiz Henrique Rios
Roteiro: Silvio de Abreu, Sérgio Marques, Vinícius Vianna e Daniel Ortiz

As brasileiras (série), "Maria do Brasil", TV Globo, 2012
(Mary Torres)
Direção: Daniel Filho
Roteiro: Daniel Filho, Adriana Falcão, Ana Maria Moretzsohn, Carol Castro, Clarice Falcão, Gregório Duvivier, Jô Abdu, Marcelo Saback, Marcio Alemão Delgado, Marcius Melhem, Marcos Bernstein e Sylvio Gonçalves

Saramandaia (minissérie), TV Globo, 2013
(Candinha Rosado)
Direção: Denise Saraceni e Fabrício Mamberti
Roteiro: Ana Maria Moretzsohn, Nelson Nadotti e João Brandão sobre telenovela de Dias Gomes

Doce de mãe (minissérie), TV Globo, 2014
(Dona Picucha)
Direção: Jorge Furtado e Ana Luiza Azevedo
Roteiro: Ana Luiza Azevedo, Jorge Furtado, Janaína Fischer, Márcio Schoenardie e Miguel da Costa Franco

O tempo e o vento (minissérie), TV Globo, 2014
(Bibiana Terra Cambará)
Direção: Jayme Monjardim
Roteiro: Letícia Wierzchowski, Tabajara Ruas e Marcelo Pires sobre romance de Erico Verissimo

Babilônia, TV Globo, 2015
(Teresa Petrucceli)
Direção: Maria de Médicis e Dennis Carvalho
Roteiro: Gilberto Braga, Ricardo Linhares e João Ximenes Braga

Mister Brau (série), TV Globo, 2016-8 (3 episódios)
(Dona Rosita)
Direção: Patrícia Pedrosa, Allan Fiterman e Flávia Lacerda
Roteiro: Jorge Furtado, Péricles Barros, Marcelo Gonçalves e Bernardo Guilherme

Nelson Por ele mesmo, TV Globo, 2017
(Diretora)
Direção: João Jardim
Roteiro: Fernanda Montenegro e Geraldo Carneiro sobre livro organizado por Sônia Rodrigues

O outro lado do paraíso, TV Globo, 2017-8
(Mercedes)
Direção: André Felipe Binder
Roteiro: Walcyr Carrasco

A *dona do pedaço*, TV Globo, 2019 (um capítulo) (Dulce Ramirez)

Direção: Luciano Sabino

Roteiro: Walcyr Carrasco, Nelson Nadotti, Márcio Haiduck e Vinícius Vianna

Radioteatros e teleteatros

Rádio MEC, Rio de Janeiro, 1948-52

Radioatriz, locutora e redatora

Rádio Guanabara, Rio de Janeiro, 1949-52

Radioatriz em novelas e locutora em vários programas

Teleteatro, TV Tupi/RJ, 1951-3

Atriz em cerca de oitenta peças, incluindo clássicos brasileiros e estrangeiros (ciclos *História do teatro brasileiro* e *História do teatro universal*), e outros programas

Grande Teatro, TV Tupi, TV Rio e TV Globo, 1953-65

Atriz em cerca de 350 peças brasileiras e estrangeiras, apresentadas semanalmente

Quatro no teatro, TV Globo, 1965

Oficinas de leitura dramática

Pensar e adestrar a arte dramática é entender a liberdade com que se deve enfrentar as diversas linguagens de interpretação através da pluralidade das encenações. As Oficinas de Leitura Dramática serão uma troca de experiência tendo em vista o grande interesse e a alta sensibilidade dos nossos artistas.

Fernanda Montenegro

Oficinas realizadas nas seguintes cidades, a partir de 1995:

Curitiba (PR)
Salvador (BA)
Barbacena (MG)
Uberlândia (MG)
Rio de Janeiro (RJ)
Brasília (DF)
Goiânia (GO)
Palmas (TO)
Cuiabá (MT)
Campo Grande (MS)
Porto Alegre (RS)

Prêmios

1953 Atriz revelação pela Associação Brasileira de Críticos Teatrais por *Está lá fora um inspetor* e *Loucuras do imperador*

1956 Prêmio Saci de melhor atriz por *A moratória*

1957 Prêmios de revistas de TV e jornais por seu trabalho no *Grande Teatro Tupi* (1957-65)

1958 Melhor atriz pela Associação de Críticos Teatrais de São Paulo por *Nossa vida com papai*

1959 Melhor atriz pela Associação de Críticos Teatrais de São Paulo por *Vestir os nus*
Prêmio Governador do Estado de São Paulo de melhor atriz por *Vestir os nus*

1960 Prêmio Padre Ventura de melhor atriz pelo Círculo Independente de Críticos Teatrais por *O mambembe*
Melhor atriz pela Associação de Críticos de Teatro do Rio de Janeiro por *O mambembe*

1963 Melhor atriz pela Associação Paulista de Críticos de Arte por *O homem, a besta e a virtude*

1964 Melhor atriz pela Associação Brasileira de Críticos de Teatro por *Mary, Mary*

1965 Prêmio Gaivota de Ouro de melhor atriz no Festival do Rio de Janeiro por *A falecida*

Melhor atriz no Festival de Brasília do Cinema Brasileiro por *A falecida*

1966 Prêmio Governador do Estado de São Paulo de melhor atriz por *A falecida*
Prêmio Molière de melhor atriz por *A mulher de todos nós*

1968 Troféu Roquette-Pinto de melhor atriz de televisão por *A muralha*

1970 Golfinho de Ouro como Personalidade de Teatro

1974 Prêmio Governador do Estado de São Paulo de melhor atriz por *Seria cômico... se não fosse sério*
Melhor atriz da Associação Paulista de Críticos de Arte por *Seria cômico... se não fosse sério*

1976 Prêmio Molière de melhor atriz por *A mais sólida mansão*

1977 Melhor atriz do Rio de Janeiro pela Associação dos Vendedores de Ingressos de Teatro e Assinantes

1980 Atriz que mais contribuiu para o teatro pela Associação de Produtores Teatrais do Rio
Prêmio de melhor atriz no Festival de Taormina (Itália) por *Tudo bem*

1981 Prêmio Air France de melhor atriz por *Eles não usam black-tie*

1983 Prêmio Mambembe de melhor atriz por *As lágrimas amargas de Petra von Kant*

1986 Medalha de mérito literário como atriz de teatro pelo PEN Club de São Paulo

1987 Prêmio Molière de melhor atriz por *Dona Doida, um interlúdio*

1990 Medalha da Universidade do Estado do Rio de Janeiro (Uerj) — quarenta anos em reconhecimento por sua ação no campo do teatro no estado do Rio de Janeiro

1992 Melhor atriz pela Associação Paulista de Críticos de Arte por *The Flash and Crash Days*

1998 Urso de Prata de melhor atriz no Festival de Berlim por *Central do Brasil*
Indicação ao Oscar de melhor atriz por *Central do Brasil*
Indicação ao Globo de Ouro de melhor atriz por *Central do Brasil*
Melhor atriz pelo National Board of Review (EUA)
Prêmio da crítica no Festival de Fort Lauderdale (EUA) por *Central do Brasil*
Melhor atriz no Festival de Havana por *Central do Brasil*
Melhor atriz pela Associação Paulista de Críticos de Arte por *Central do Brasil*
Melhor atriz no Festival Sesc de Cinema por *Central do Brasil*

1999 Melhor atriz pela Los Angeles Film Critics Association por *Central do Brasil*

2001 Premio Internazionale del Cinema Rodolfo Valentino — Rio de Janeiro por *Central do Brasil*

2004 Melhor atriz no Festival de Nova York (Tribeca Film Festival) por *O outro lado da rua*
Concha de Prata no Festival de San Sebastián (Espanha) — Premio Horizontes Latinos por *O outro lado da rua*
Melhor atriz no Festival do Recife por *O outro lado da rua*

2005 Prêmio 100% Vídeo de melhor atriz por *O outro lado da rua*
Melhor atriz pela Associação Paulista de Críticos de Arte por *Belíssima*

2006 Melhor atriz no Festival de Guadalajara por *Casa de areia*

2010 Prêmio Shell de melhor atriz por *Viver sem tempos mortos*
Prêmio Faz Diferença do jornal *O Globo* (também em 2018 e 2019)

2012 Melhor atriz no Brazilian Film & TV Festival de Toronto por *A dama do Estácio*

2013 Melhor atriz no FESTin (Lisboa) por *A dama do Estácio*
Emmy Internacional de melhor atriz por *Doce de mãe*

2014 Melhor atriz no CinEuphoria (Lisboa) por *A dama do Estácio*
Prêmio Especial do Júri no Festival de Gramado por *Infância*

Outros prêmios

1984 Mulher do ano pelo São Paulo Woman's Club

1991 Medalha comemorativa pelo 50º Aniversário de Instalação da Justiça do Trabalho

1996 Homenagem no 3º Prêmio Sharp de Teatro

1998 Homenagem especial no Prêmio Copene de Teatro
Homenagem da Câmara Municipal de Curitiba — voto de louvor pela atuação em *Central do Brasil*

1999 Medalha João Ribeiro pela Academia Brasileira de Letras — homenagem por notabilidade no âmbito cultural
Homenagem no 15º Premio Internazionale Lumière (Unupadec), Roma, Itália
Diploma Carmen Miranda — noventa anos pelo governo do estado do Rio de Janeiro e Fundação de Artes do Estado do Rio de Janeiro (Funarj)

2014 Prêmio de Cultura Fundação Conrado Wessel
Homenagem no 2º Prêmio Nise da Silveira
Medalha do Mérito Euvaldo Lodi — 70º aniversário da Confederação Nacional da Indústria (CNI)

2016 Homenagem especial no 28º Prêmio Shell de teatro

2017 Menção honrosa no Prêmio Margarida de Prata na Conferência Nacional dos Bispos do Brasil (CNBB)

Condecorações

1971 Comenda da Ordem Nacional do Cruzeiro do Sul no grau de Cavaleira

1982 Chevalier de l'Ordre des Arts et des Lettres da França

1984 Grande Medalha da Inconfidência do governo de Minas Gerais

1985 Ordem de Rio Branco no grau de Cavaleira

1992 Medalha de Mérito Cultural de Portugal

1993 Medalha da Ordem do Mérito da Bahia no grau de Comendadora

1995 Medalha da Ordem do Mérito Cultural

1999 Grã-Cruz da Ordem Nacional do Mérito
Doutora Honoris Causa da Universidade do Rio de Janeiro (Unirio)
Benemérita do Estado do Rio de Janeiro pela Assembleia Legislativa

2002 Medalha Mérito Legislativo pela Câmara dos Deputados

2003 Grande Colar do Mérito do Tribunal de Contas da União

2004 Grã-Cruz da Ordem do Infante D. Henrique, Portugal

2009 Ordem do Ipiranga do estado de São Paulo no grau de Cavaleira

Na vida de muitos de nós deste elenco, O mambembe *simbolizava a eterna situação precária da cultura teatral do nosso país. Hoje, sessenta anos depois, continuamos nessa espera. Sabemos resistir.*

Elenco

Alberto Costa
Alberto Hilton
Alberto Melo
Aldo de Maio
Alfredo Bessa
Allan Lima
Angela Bonati
Antônio Carlos
Antônio Carlos da Silva
Armando Nascimento
Avelino Fernandes
Aires da Gama
Benito Rodrigues
Carmindo Reis
Cavaca
Dina Machado

Dino Silva
Fernanda Montenegro
Grace Moema
Henrique Fernandes
Ítalo Rossi
Labanca
Lino Reis
Manuel Passos
Maria Gladys
Marilena Carvalho
Milton Carneiro
Milton Marcos
Napoleão Muniz Freire
Pascoal de Andrade
Paulo Andrade
Paulo Matosinho
Paulo Pomo
Paulo Resende
Pérola Negra
Regina Aragão
Renato Consorte
Roberto Pomo
Rui Pisk
Salme Samir
Sandra Dartus
Sérgio Brito
Tarciso Zanotta
Waldir Maia
Yara Cortes

Yolanda Cardoso
Zair Nascimento
Zilka Salaberry

Ficha técnica

Figurantes: dez pessoas (moradores de cada cidade)
Contrarregra: Vallim e dois auxiliares
Eletricista: Osvaldo Adyala e dois auxiliares
Maquinista: T. Thiers e dois auxiliares
Camareiras: Regina Malheiros e auxiliar
Cateretê: seis pessoas e dois violeiros
Orquestra: seis pessoas
Produção: Fernando Torres e Teatro dos Sete
Direção: Gianni Ratto

Créditos das imagens

Todos os esforços foram feitos para reconhecer os direitos autorais das imagens publicadas neste livro. A editora agradece qualquer informação relativa à autoria, titularidade e/ ou outros dados, se comprometendo a incluí-los em edições futuras.

p. 273: Lenise Pinheiro

Caderno 1

pp. 1, 2 (abaixo), 3 (abaixo à esquerda), 4-7, 8 (acima), 11 (acima), 12, 13 (acima), 14, 15 (acima), 16: Acervo Fernanda Montenegro/ Reprodução de Bel Pedrosa

p. 2 (acima): Foto-Transmontana/ Miguel Monteiro/ Reprodução de Bel Pedrosa

pp. 3 (abaixo à direita), 10: Acervo Fernanda Montenegro
p. 3 (acima): Acervo Fernanda Montenegro/ Reprodução de Stefan Hess
p. 8 (abaixo): Casa Rivera/ Carioca 57/ Reprodução de Bel Pedrosa
p. 9: Foto Cine Gonzales/ Reprodução de Bel Pedrosa
p. 11 (abaixo): Paulo Reis/ Reprodução de Bel Pedrosa
p. 13 (abaixo): Acervo Fernanda Torres/ Reprodução de Jaime Acioli
p. 15 (abaixo): Zbigniew Ziembinski/ Reprodução de Bel Pedrosa

Caderno 2

pp. 1, 3 (abaixo), 4-6, 7 (acima), 8-13: Acervo Fernanda Montenegro/ Reprodução de Bel Pedrosa
pp. 2, 7 (abaixo): Millôr Fernandes/ Reprodução de Bel Pedrosa
p. 3 (acima): Gianni Ratto/ Reprodução de Bel Pedrosa
pp. 14, 15: Claudia Ferreira
p. 16: Darcy Cardoso/ Folhapress

Caderno 3

p. 1 (acima): Walter Carvalho/ Videofilmes/ Reprodução de Bel Pedrosa
p. 1 (abaixo): Sony Pictures/ Everett Collection/ Fotoarena
p. 2: Cristina Granato/ Reprodução Bel Pedrosa

pp. 3-7, 12 (acima): Acervo Fernanda Montenegro/ Reprodução de Bel Pedrosa
p. 8: Guga Melgar
p. 9: Neilson Barnard/ Getty Images
p. 10: Conspiração Filmes/ Reprodução de Bel Pedrosa
pp. 11, 14 (acima): DR/ Reprodução Bel Pedrosa
p. 12 (abaixo): Suzanna Tierie/ Conspiração Filmes
p. 13: Suzanna Tierie
p. 14 (abaixo): TV Globo
p. 15: RT Features/ Bruno Machado
p. 16: Bob Wolfenson

Índice remissivo

1ª EDIÇÃO [2019] 10 reimpressões

ESTA OBRA FOI COMPOSTA EM ELECTRA PELA SPRESS E IMPRESSA
PELA GEOGRÁFICA EM OFSETE SOBRE PAPEL PÓLEN DA
SUZANO S.A. PARA A EDITORA SCHWARCZ EM NOVEMBRO DE 2024

A marca FSC® é a garantia de que a madeira utilizada na fabricação do papel deste livro provém de florestas que foram gerenciadas de maneira ambientalmente correta, socialmente justa e economicamente viável, além de outras fontes de origem controlada.